KB093954

다정한 마음이
채운
한 그릇

심전일운 지음

다정한 마음이
채운
한 그릇

일운 스님의
마음밥상 마음챙김

조계종
출판사

오늘 먹은 음식이
나를 들여다보게 해준다

산사는 지금 춘삼월의 춘설이 아직 도량 곳곳에 남아 있습니다. 차디찬 얼음 눈 속에서 인고를 겪고 꽃을 피워낸 매화의 향이 온 도량에 가득합니다.

우리 인생의 궁극 목적은 행복하게 살아가는 것이며 자유롭게 살아가는 것이 아닌가 싶습니다. 행복하고 자유롭게 살아가는 삶의 바탕에는 건강한 몸과 건강한 마음이 있습니다. 그리고 건강한 몸과 건강한 마음을 유지하기 위해서는 마음을 비우고 몸을 가벼이 해야 합니다.

마음을 비우는 것은 과도한 욕심을 비우는 것이며 몸을 가벼이 하는 것은 위를 비우는 것입니다. 왜냐하면 마음을 비우

다정한 마음이 채운 한 그릇

면 삶에 대한 집중과 열정이 살아나고, 위를 비우면 삶에 대한 집중과 열정이 더욱 강해지기 때문입니다.

우리가 건강한 몸을 유지하기 위해서는 맑고 건강한 음식이 있어야 가능합니다. 건강한 음식이란 제철에 나는 자연 음식으로, 산에 사는 우리 스님들은 우리와 함께 살아가는 모든 생명을 존중하고 중시하며 자연을 사랑합니다. 그 때문에 다른 생명에 나쁜 영향을 주거나 생명을 해치는 행위를 금하고 자연 그대로의 음식을 선호합니다. 또한 산과 들, 텃밭에서 자란 제철 산나물이나 열매, 뿌리 등을 채집하여 먹기 때문에 마음을 비우고 몸을 가벼이 하며 기를 보충해주는 데 이보다 좋은 수행식修行食이 없습니다.

이번에《다정한 마음이 채운 한 그릇》을 펴내게 된 이유는 똑같은 음식이라도 어떠한 마음가짐으로 음식을 섭취하느냐에 따라 나의 몸이 결정되며, 지금 먹는 음식을 통해서 나의 마음을 제대로 들여다볼 수 있기 때문입니다.

옛날에 도인道人 스님들은 "도가 무엇입니까?"라는 제자들의 물음에 "목이 마르면 물을 마시고 배가 고프면 밥을 먹는 것"이라고 말씀하셨습니다.

그렇습니다. 도는 우리의 일상을 떠나 따로이 존재하지 않습니다. 그리고 음식을 먹을 때 음식에 집중하면 내 몸을 더욱 건강하게 할 뿐만 아니라 내 마음을 챙기는 마음공부도 동시에 이루어질 수 있습니다.

마지막으로 이 책이 출간될 수 있도록 애써주신 조계종출판사 남배현 대표와 출판사 관계자 분들께 깊은 감사의 마음을 전합니다. 아울러 지금 이 시대를 살아가는 모든 인연 있는 이들이 우리의 본마음을 통해서 자기 자신을 바르게 돌아보고, 하루하루 매 순간을 깨어 있는 마음으로 행복하고 건강하게 살아가기를 간절히 기원합니다.

천년고찰 천축산자락 불영사 청향헌에서
산철결제 중에 주지 심전일운 합장

다정한 마음이 채운 한 그릇

머리말 | 오늘 먹은 음식이 나를 들여다보게 해준다 · 04

1
살
피
다

2
채
우
다

3
비
우
다

4
깨
우
다

5
나
누
다

1
살
피
다

천 겁 동안 텅 빈 도량
산은 늘 푸르고 천축산 불영계곡 물은 늘 흐르네
천축선원 선불장에 금강송은 우뚝한데
운수납자 면벽좌선 일체 번뇌 내려놓네

세상 누가 겁 이전의 소식을 알려 하는가
달은 지고 또 뜨지만 산새는 오지 않고
찬바람만 때때로 선불장 문 두드리네
산은 늘 푸르고 물은 늘 흐른다

하루 일하지 않으면
하루 먹지 않는다

부처님 재세 당시 수행자들은 집집마다 다니며 밥을 빌어서 먹는 '탁발托鉢'을 했습니다. 탁발은 수행자들이 의식衣食을 해결하는 방법으로, 걸식과 같은 뜻입니다. 여기서 '발'은 음식을 담는 그릇인 발우를 말합니다. 따라서 탁발이란 걸식하여 얻은 음식이 담긴 발우에 목숨을 의탁依託한다는 의미입니다.

스리랑카, 미얀마, 태국, 라오스, 캄보디아 등 남방불교 국가에는 아직도 탁발 전통이 남아 있습니다. 우리나라도 예전에는 탁발을 했지만 오늘날은 종단에서 금하고 있습니다. 이것은 현대사회의 구조에 맞춰 승가의 음식 문화 또한 변화한 것으로 볼 수 있습니다. 절에서는 탁발의 정신을 그대로 담은 '발우공양'을 전승하고 있습니다.

그렇다면 현재 우리가 알고 있는 사찰 음식은 언제부터 지금의 모습을 갖추기 시작했을까요? 이에 앞서 한국 사찰 음식의 역사를 간단히 살펴볼 필요가 있습니다.

불교가 한국에 전래된 이래 국가에 정식 승인을 받게 되면서 불살생不殺生, 즉 생명 존중의 가치인 불교 정신이 담긴 음식 문화가 널리 전파되기 시작했습니다. 삼국시대에는 왕실과 귀족들이 앞장서서 채식을 권장했고, 불교문화가 꽃피던 고려시대에도 육식을 자제하고 채식을 하는 식생활을 권장함으로써 불교 음식 문화가 자리를 잡을 수 있었습니다.

그러나 조선왕조 500년 불교 탄압의 시대가 되면서 사찰들이 척박한 산중으로 밀려나고 식량 공급에도 어려움을 겪게 됩니다. 그리하여 스스로 밭을 일구고 농사와 채집을 하지 않고서는 건강한 생존과 궁극적인 깨달음에 이르는 수행을 이어갈 수 없게 되었습니다.

중국 선종禪宗을 계승한 승가에서는 선종의 대표 인물인 백장회해百丈懷海(749~814) 스님의 생활윤리인 백장청규百丈淸規에 따라 공동 노동을 의무화하고 사찰 토지 경작에 솔선수범하며 예불·수행·울력의 원칙을 지켜나가기 시작했습니다. '하루 일하지 않으면 하루 먹지 않는다一日不作 一日不食'는 가르침도 바로 여기서 생겨난 말입니다.

한국 선불교의 특징이라 할 수 있는 반농반선半農半禪의 정신은 바로 이처럼 어려운 박해 시기를 이겨낼 수 있는 원동력이 되었으며, 이와 함께 불교 수행의 핵심 가치로 자리 잡게 되었습니다.

한편, 근대에도 일제강점기 당시 일본불교의 영향으로 변형된 한국불교의 본래 전통을 복원하기 위한 대대적인 정화 결사가 이뤄졌습니다. 이때 실천 덕목이 또다시 백장청규에 의해 정해지고 지금까지 이어오고 있으니, 이런 어려운 시기를 지혜롭게 넘길 수 있었던 것 역시 선농일치禪農一致 정신의 계승이라 할 수 있겠습니다.

이같이 사찰 음식의 전통을 계승하는 문화가 바로 울력입니다. 사부대중이 모여 사는 사찰에서는 사계절 밭을 일궈 재료를 직접 재배하고 다듬어 음식을 만드는 일들이 모두 수행의 중요한 과정입니다. 대중 스님들은 울력을 통해 땀 흘리고 서로 격려하며 묵묵히 구도의 길을 향해 부지런히 정진합니다.

음식을 담당하는 후원(공양간) 소임자가 따로 있지만 많은 양의 식재료 손질과 해를 두고 먹어야 하는 김장과 저장 음식을 준비하기 위해서는 대중 울력이 꼭 필요합니다. 우스

갯소리로 "울력은 죽은 송장도 벌떡 일어나 함께한다"는 말까지 있을 정도이니, 이는 곧 너와 내가 구분 없이 모두가 동참한다는 뜻입니다.

이를 통해 대중이 화합하며 정성껏 차린 음식으로 부처님께 공양 올리고 대중과 나누어 먹으면서 동사섭同事攝의 가르침을 몸소 배우게 됩니다.

이처럼 공양 한 그릇에는 많은 이들의 정성이 담겨 있기에 저절로 감사한 마음이 생깁니다.

나누고 싶은 마음밥상 ∞ 콩가루 입힌 쑥국

볕이 좋은 곳이면 어김없이 무리 지어 쑥이 돋아 있습니다. 쑥은 방사능 오염 지역에서도 자랄 만큼 번식력이 좋고 생명력도 뛰어납니다. 이런 쑥 가운데에도 사람들 발길이 닿지 않은 청정한 곳에서 나고 자라야 약쑥이라 할 수 있습니다.

쑥의 뒷면이 솜털처럼 하얗고 보송한 것이 참쑥이며, 봄부터 가을까지 음식 재료로 다양하게 쓰입니다. 여러 번 물에 헹궈 물기를 털고 콩가루를 골고루 묻혀 된장국을 끓이면 온몸에 땀이

다정한 마음이 채운 한 그릇

나는 게 보약 한 재를 먹은 듯 기운이 납니다.

부처님께서는 하루에 딱 한 끼만 드셨다고 합니다. 중생들을 위한 자비의 발로입니다. 당신께서 아낀 두 끼의 공양은 아마도 굶주림으로 허덕이는 중생들을 향했을 것입니다.

나를 바로
봅시다

오늘도 주인공의 삶을 살고 있는지 스스로 자문해봅시다. 만약 이렇게 기도하고 있는 불자라면 모든 문제의 원인이 '나'에게 있다는 가르침을 분명하게 알아차릴 수 있습니다. 어떤 버겁고 힘겨운 일일지라도 문제의 원인을 알아내고 나면 쉽게 풀어나갈 수 있습니다.

이렇게 말하면 누군가는 고개를 갸우뚱할지도 모르겠습니다. 예컨대 출근 시간에 기다리는 버스가 오지 않아 짜증이 날 때, 돈을 갚지 않는 친구 때문에 화가 날 때는 어떻게 문제를 풀 수 있느냐고 말이죠. 하지만 이 문제의 원인은 결코 버스 기사나 친구에게 있지 않습니다.

옳고 그름을 떠나 제시간에 오지 않는 버스로 인해 분별하는 마음을 일으키는 것도 나이고, 친구에게 돈을 빌려준 사람도 나이기에 결국 화가 나는 것은 나의 문제입니다. '오지 않는 버스'와 '갚지 않은 돈'은 이미 일어난 현실로, 존재 그 자체입니다. 그런데 그러한 현실을 두고 화를 내고 짜증을 낸다고 해서 두 사건이 해결될 수 있을까요? 그렇지 않습니다.

우리는 현실을 있는 그대로 보는 습관을 길러야 합니다. 어떤 사건에 대해 좋아하고 싫어하는 마음을 일으키면 결국 그 화가 나를 상하게 합니다. 길이 꽉 막힌 도로 위에 있는 버스는 조금만 더 기다리면 올 것이고, 돈을 갚지 않는 친구에게는 솔직한 심정을 이야기하면 됩니다. 친구를 떠올리며 내 안의 화를 불러일으키기보다는 자기 의사를 명확히 표현하는 것이 친구를 잃지 않으면서 빌려준 돈도 효과적으로 받을 수 있는 방법입니다.

《숫타니파타》에서는 "수행자라면 그 어떠한 욕망도 일으켜서는 안 된다"고 말하고 있습니다.

수행자는 항상 마음이 평온해야 한다.
밖에서 고요함을 찾지 말라고 했으니
늘 안으로 평온한 사람이 되어야 한다.

그 누구든 밖에서 고요함을 구할 수는 없다.

깊은 바다 밑은 파도의 영향이 미치지 않아 항상 고요하나니

멈춰 움직이지 말라.

움직이고 떠들다 보면 내 마음을 알아차릴 수 없으니

수행자는 그 어떤 욕망도 일으켜서는 안 된다.

당나라의 고승 임제의현臨濟義玄(?~867) 선사는 "참된 부처는 형상이 없고, 참된 도는 실체가 없으며, 참된 법은 모양이 없다"라고 설하셨습니다. 문제의 원인을 내 안에서 찾지 않고 다른 사람이나 밖에서 찾는 사람은 끝끝내 문제를 해결하지 못합니다. 다른 종교에서 "내 탓이오, 내 탓이로소이다" 하는 것과 같습니다. 그래서 성철 큰스님은 "자기를 바로 봅시다"라며 사자후를 설하셨던 것입니다.

오로지 자신의 내면을 살펴서 마음이 어떻게 일어나고 사라지는지 관찰해야 합니다. 대개 사람들은 '나'에게 집중하지 못합니다. 밖으로 눈을 돌려 남 탓을 하고 분노합니다. 그 무엇을 얻고자 법당의 부처님만 간절하게 바라본다면 결코 내 안에 있는 나의 문제를, 나의 아픔을 치유할 수 없습니다. 끝내 주인공으로 살지 못합니다.

다정한 마음이 채운 한 그릇

이미 완성된 완전한 주인공으로서 항상 자신의 본질을 발견하기 위해 노력해야 합니다. 수행하고 정진하는 곳에는 나의 본질을 꿰뚫어 볼 수 있는 지혜의 길이 있습니다.

나누고 싶은 마음밥상 ∞ 강된장보리밥

몸속에 열이 차면 종기나 염증이 잘 납니다. 이때 몸을 식혀주는 음식 재료 중 하나가 보리입니다. 감기로 몸에 열이 오르면 보리차를 끓여 마시는 것도 이 때문입니다.

보리는 늦봄에 수확하여 여름을 나는 대표적 곡물인데, 요즘은 여러 가지 이유로 보리농사가 거의 사라질 위기에 처했습니다.

열무김치, 물김치 등 여름에 담그는 김치는 찹쌀풀 대신 보리를 삶아 넣으면 그 시원함을 더합니다. 보리밥과 함께 먹으면 궁합이 좋은 강된장은 채수를 자작하게 부어 된장을 풀고 여러 가지 채소와 버섯을 넣고 되직하게 끓인 것입니다. 밭에서 난 어린 열무를 씻어서 손으로 뜯어 넣고, 강된장과 함께 보리밥을 쓱쓱 비며 한술 뜨면 입 안에서 이리저리 굴러다니는 보리알이 깨어 있는 나와 만나는 시간이 될 것입니다.

나와 같은 사람은
없으니

우리는 살면서 많은 것을 보고 느끼고 또 경험하지만 내 생각과 꼭 같은 사람을 만나기는 어렵습니다. 생김새가 다르고 목소리가 다르듯 살아가는 모습과 관심 분야도 모두가 제각각입니다. 살아온 배경이 다르고 사고방식이 다른 만큼 가치관도 성격도 다릅니다. 다양한 사람들이 함께 모여 사는 사회 공동체이기에 서로 소통하며 맞추어 살아가는 것이 현명하게 세상을 사는 방법입니다.

특히 남남으로 살아온 남성과 여성이 결혼해 부부로 살아야 한다면 서로를 배려해야 할 덕목이 더욱 많아집니다. 자란 배경도 다르고 성격도 다르기에 서로를 챙기고 맞춰가면서 살아가는 일이 매우 중요합니다. '다르다'는 차이를 먼저

다정한 마음이 채운 한 그릇

알아차리고 그 알아차림을 바탕으로 서로를 이해한다면 부부는 큰 다툼 없이 행복한 삶을 함께 이끌어갈 수 있습니다.

> 남의 허물은 보기 쉬워도 자기 허물은 보기 어려워라.
> 남의 허물은 겨처럼 까불어 흩어버리면서
> 자기 허물은 도박꾼이 나쁜 패를 감추듯 하네.

《법구경》의 가르침입니다. 우리 주변에는 자신의 잘못은 전혀 인정하지 않은 채 타인의 잘못만 들추길 좋아하는 사람이 있습니다. 없는 자리에서 남의 허물을 말하거나 그 말에 동조하는 경우도 마찬가지입니다. 남을 탓하기 전에 나 자신을 먼저 돌아본다면, 나 역시 남들 입에 오르내릴 수 있으며 말이나 행동으로 수없이 남에게 상처를 주었다는 사실을 알아차리게 될 것입니다.

"말은 적게 하고 행동은 크게 하라"는 말이 있습니다. 매 순간 겸손하고 친절하면 비굴하지 않으면서 늘 당당하게 살아갈 수 있습니다.

> 남을 가르치듯 스스로 행한다면
> 그 자신을 잘 다룰 수 있고

남도 잘 다스리게 될 것이다.

자신을 다루기란 참으로 어렵다.

이 역시 《법구경》의 진언입니다. 우리는 남 탓하고 짜증 내고 화를 내는 과정에서 스스로를 상하게 합니다. 내가 짜증 내고 화를 낸다면 내 몸과 마음만 상할 뿐입니다. 결코 다른 사람을 변화시키거나 내 편으로 만들 수 없습니다.

남의 허물을 보기 전에 자신의 허물을 먼저 보라는 가르침을 되새겨보고 실천해볼 일입니다. 내 안의 허물을 참회하고 남의 훌륭한 점을 먼저 보려는 태도는 남을 위한 것이 아니라 바로 자기 자신을 위한 가르침이라는 사실을 마음에 새겨야 합니다.

자신을 진정으로 사랑하고 귀하게 여길 줄 안다면 그 사람은 다른 사람의 아픔에도 공감할 수 있으며 일체 생명을 존중하고 사랑할 수 있게 됩니다. 반대로 자신을 귀하게 여기지 않고 사랑하지 않는다면 언제나 미움과 원망에 쫓겨 자기 인생을 불행의 길로 자초하게 됩니다. 그래서 나를 진정으로 사랑하는 마음은 타인을 사랑하는 자비심을 일으키게 하는 원동력이 되는 것입니다.

살아가면서 만나는 무수한 환경이나 사람은 모두 내가

다정한 마음이 채운 한 그릇

만들어온 인연이며 원인의 씨앗입니다. 나의 인연을 통해 만들어진 결과입니다. 상대방이 문제가 아니라 내가 그 사람을 문제가 있다고 생각할 때 그 일은 나에게 와서 '문제'가 됩니다.

행복도, 불행도, 기쁨도, 슬픔도 결국 내 안에서 만들어지는 것입니다. 내가 어떤 인연, 어떤 복덕을 지을지는 각자의 선택에 달렸습니다.

지금 내가 누군가의 행복을 기원한다면 그 기도는 결국 내게 행복을 가져다줄 것입니다. 자비는 타인을 향할 때 가장 큰 빛을 발합니다. 그것이 바로 '자비의 힘'입니다.

나누고 싶은 마음밥상 ∞ 매실장아찌

제철 식재료를 우선으로 하는 사찰에서는 여름이 되면 매실청과 매실장아찌를 담급니다.

하안거가 시작되면 대중 생활은 그 어느 때보다 건강에 신경을 써야 합니다. 여름이면 찬 음식으로 배앓이를 하거나 날것을 먹어 세균성 질환이 많아지기 쉬운데, 매실에는 구연산이 다량 함유되어 있어서 더위에 손상된 몸속 각종 독성을 빼주는 데 뛰어난 역할을 하며 또한 대사를 촉진시키고 피로회복에도 좋습니다.

신맛이 강해 평소에는 잘 먹지 않으나 작게 등분해서 고추장에 버무려 맛깔스런 장아찌로 만들고, 또 견과류나 두부를 더해 요리하면 매실 고유의 신맛을 줄일 수 있습니다.

스트레스
관리

스트레스stress는 인간 삶의 모든 영역에 존재합니다. 누구도 스트레스를 피해갈 수는 없습니다. 스트레스가 일어나는 요인은 매우 다양하지만, 그 스트레스를 어떻게 대처하고 대응하느냐가 더 중요합니다.

많은 사람이 일상생활에서 스트레스라는 단어를 사용하는데, 그것의 원인이 무엇인지는 정확하게 설명하지 못합니다. 어떤 사람은 "남편이 나에게는 스트레스야"라고 말하고, 또 어떤 사람은 "아내 잔소리 때문에 스트레스가 쌓인다"라고 말합니다. 사실상 스트레스는 자신에게 불편을 주는 모든 것이 요인으로 작용하며, 대부분 사람은 스트레스를 불편하고 부정적으로 생각합니다.

스트레스에 대한 반응은 불안, 우울, 초조와 같은 심리적인 반응과 신체적인 반응으로 나뉩니다. 스트레스가 일어나는 원인은 매일 경험하는 사소한 일부터 사건 사고로 인한 큰 충격에 이르기까지 매우 다양합니다. 어쩌면 우리가 경험하는 일상의 모든 일이 스트레스의 원인일 수 있습니다.

스트레스는 불면증, 근육 경련, 식욕 부진, 손 떨림, 위장 장애와 같이 우리의 몸과 마음에 부정적인 영향을 끼칩니다. 이러한 스트레스에 적절하게 대응하고 대처하지 않으면 정서적으로도 매우 위험합니다. 일상생활이 어려울 정도로 정신적·육체적 피로와 고통을 받게 됩니다.

우리가 경험하는 모든 것이 스트레스가 될 수 있지만, 그렇다고 누구에게나 공통적으로 적용되는 것은 아닙니다. 어떤 사람에게는 스트레스가 되지만 어떤 사람에게는 전혀 문제가 되지 않는 경우도 있습니다.

스트레스는 대개 부정적인 생각에서 비롯됩니다. 부정적인 생각을 하면 할수록 스트레스는 더욱 커지고 작용 범위도 확대됩니다. 매사에 긍정하지 않고 부정하는 사고방식은 습관으로 이어지고 스트레스의 수치를 높일 뿐입니다. 한 생각 바꿈으로써 일상은 긍정이 될 수도 있고 부정이 될 수도 있습니다. 긍정적인 생각 하나로 부정적인 생각을 비워낼 수 있습니다. 사랑과 감사함이 마음에 가득하면 부정적인 사고가 자리 잡은 공간은 그만큼 줄어듭니다.

진정성 있는 감사와 사랑은 사람을 감동시키고 기적 같은 순간을 연출하기도 합니다. 긍정적인 생각은 행복하고 건강한 삶으로 연결됩니다. 반대로 부정적인 생각과 스트레스는 신체와 뇌 기능을 심각하게 위축시켜 우리 몸에 부정적인 영향을 끼치고, 궁극에는 육체와 정신에 악영향을 미쳐 건강을 해치게 합니다.

19세기 미국에서 시작된 '신사상 운동'에 동참하면서 정신적 힘을 강조한 프렌티스 멀포드Prentice Mulford(1834~1891)는 자신의 저서에서 "불쾌한 생각을 하는 것은 몸에 나쁜 물질을 집어넣는 것과 같다"라고 했습니다. 즉 어떠한 상황에서도 건전하고 청정한 생각을 하고 긍정적인 사고방식으로 전환하면 내 삶의 질이 올라가고 몸과 마음도 건강해질 수 있다는 말입니다.

우리가 일상에서 하는 기도와 수행은 긍정적인 마인드를 몸에 배도록 합니다. 팔만사천 세포 하나하나를 긍정의 세포로 바꿔줍니다. 그리하여 계단에서 굴러떨어져 한쪽 다리가 부러져도 '그나마 한쪽 다리는 무사해서 다행이야' 하고 감사하는 마음을 가질 수 있는 것입니다.

순간순간을 긍정적으로 생각하면 스트레스는 생길 틈이 없습니다. 스트레스가 생기더라도 극복할 수 있는 힘을 갖게 됩니다. 이것이 긍정의 에너지이며, 진정한 기도입니다.

나누고 싶은 마음밥상 ∞ 토란대볶음

불영계곡 깊은 곳에 자리 잡은 불영사 밭에 곧고 길게 쭈욱 뻗은 토란대를 보면서 '정직한 마음'을 읽습니다. 거짓과 속임수, 아첨 등 구부러진 마음을 없애는 역할을 하는 것이 바르고 곧은 마음입니다.

어떤 사람은 자신의 욕구를 충족시키기 위해 상대를 속이고, 그런 욕구를 가진 자신을 감추기 위해 스스로를 합리화합니다. 이렇게 저렇게 하고 싶은 욕망 가운데 자기에 대한 믿음만 확고해집니다. 하지만 자신만을 위한 탐욕이기에 부질없습니다.

올곧은 마음은 내 안의 불안 요소를 제거하므로 스트레스 예방에 아주 좋습니다. 곧은 토란대 하나를 조리하는 시간도 스님들에게는 수행의 시간입니다. 토란대를 요리하면서 곧은 마음을 가슴에 새깁니다.

다정한 마음이 채운 한 그릇

병이 생기면
마음을 먼저 살피십시오

괴로운 생각이 가득하면 마음이 아프고, 몸속 장기들의 원활한 흐름을 막으며, 마지막 단계에 이르러서는 고통의 신호를 몸 밖으로 보내옵니다. 아프기 전에 미리미리 예방하는 데 신중을 기울이면 좋으련만 많은 이들이 그러지 못하고 살아갑니다.

더욱이 몸이 아프다고 신호를 계속 보내와도 병의 근원을 찾기보다는 그때마다 겉으로 드러나는 증상만을 치료할 따름입니다. 병이 생기면 잠시 음식 섭취를 멈추고 속을 깨끗이 비운 뒤 마음을 평온히 하고 병의 원인을 관찰하면서 몸 상태와 변화를 가만히 지켜볼 줄 알아야 합니다.

특히 경전에서는 너무 많이 먹는 것을 경계하라는 내용

이 자주 언급됩니다. 즉 만족할 만한 식사를 하라는 의미입니다. 이는 많이 먹어 힘들거나 적게 먹어 주린 것도 아닌, 자기 요량껏 먹는 것을 말합니다.

《잡아함경雜阿含經》제47권 〈나제가경那提迦經〉에 이런 내용이 있습니다.

나제가야,

나는 많은 비구들이 좋은 음식을 먹고 나서 이 동산에서 저 동산으로, 이 방에서 저 방으로, 이 사람에게서 저 사람에게로, 이 대중에게서 저 대중에게로 옮겨 다니는 것을 보았다. 나는 그것을 보고 '저 장로들이 저러다가는 벗어나는 요긴한 법과 멀리 벗어남, 적멸, 등정각의 즐거움인 구하지 않는 즐거움과 괴로워하지 않는 즐거움을 얻지 못할 것이다'라고 생각하였다.

그러나 나는 이런 종류의 벗어나는 요긴한 법과 멀리 벗어남, 적멸, 등정각의 즐거움인 구하지 않는 즐거움과 괴로워하지 않는 즐거움을 얻었다. (중략) 또 변리辨理의 수고로움조차 없었다. 왜냐하면 음식을 의지하고 맛에 집착하기를 좋아하므로 변리가 생기기 때문이다. 이것은 곧 의지하는 것이 된다.

다정한 마음이 채운 한 그릇

이 내용에서는 음식을 과도하게 먹은 후 몸과 마음이 들떠 생기는 문제들을 지적하며, 너무 많이 먹고 힘들어하는 것은 수행자의 위의가 아니라는 것을 다시 한 번 지적하고 있습니다. 또 다음과 같은 말씀도 하셨습니다.

> 만일 지나치게 배불리 먹으면 기식氣息이 급하고 몸이 비만해져 모든 맥이 통하지 않고 마음을 막히게 하여 앉거나 누워도 편하지 않다. 또 너무 지나치게 적게 먹으면 몸이 야위고 마음이 멀어져 뜻이 견고하지 않다.

부처님께서는 보시 가운데 으뜸인 법의 보시로 이러한 무지를 일깨워주셨고, 《유마경維摩經》을 통해서는 "나는 의사와 같아 병을 알고 약을 말하는 것이니 먹고 안 먹는 것은 의사의 허물이 아니다"라고 했습니다.

생로병사의 고제苦諦에서 벗어나 깨달음을 얻은 부처님은 근원적인 마음을 다스리는 치유법을 우리에게 알려주셨습니다. 즉 처방전을 열심히 읽고 외운다고 해서 병이 치유되는 것은 아니고, 처방전에 따라 자기 스스로 실천해야 병이 나을 수 있다는 것입니다. 수행도 마찬가지입니다.

나누고 싶은 마음밥상 ∞ 가죽나물무침

참죽나무의 새순인 가죽나물은 봄에서 초여름 사이에 채취하여 무침이나 장아찌로 먹는 봄나물입니다. 심혈관과 뼈, 치아, 눈을 건강하게 하고, 빈혈 예방과 항암 작용에도 도움을 주어 버릴 게 하나도 없는 보배로운 나물입니다. 특히 뇌 건강과 면역력 향상에 효과적이기에 치매가 걱정되는 분들은 적당량을 자주 섭취하면 좋습니다.

경북 지역에서 흔히 먹는 가죽나물은 독특하고 쌉싸름한 향이 나서 주로 고춧가루에 국간장, 참기름, 통깨로 버무려 생채로 즐겨 먹습니다.

수행자들은 몸에 병이 생기면 먼저 자신이 걸어온 과거와 현재를 살핍니다. 혹시 욕심을 내지는 않았는지, 부처님의 가르침에서 벗어남은 없었는지 점검을 합니다. 일체의 병고는 바로 탐욕과 성냄, 어리석음에서 오기 때문입니다.

다정한 마음이 채운 한 그릇

요리하는 사람의
마음가짐

우리가 매일 먹는 음식은 참으로 소중합니다. "밥은 하늘이다"라는 말처럼, 우리가 먹는 밥은 온 생명과 우주의 기운이모여 만들어집니다. 우리의 생명을 이어주는 또 하나의 생명이기도 합니다.

일본 사찰에서는 '전좌典座'라 불리는 요리 담당자가 되는 것을 매우 명예로운 일로 여기고 있습니다. 물론 전좌 스님에게는 막중한 책임이 주어집니다. 일본 조동종曹洞宗의 개조 도겐道元(1200~1253) 선사는 요리하는 것을 매우 소중하게 생각해, 전좌 스님들에게 "공양은 수행을 완성하기 위한매우 중요한 의식"이라고도 말했습니다. 공양을 준비하는 과정 자체가 수행이기 때문입니다.

도겐 선사는 수행자의 생활 규칙을 규정한 《전좌교훈典座
教訓》이라는 책에서 요리하는 사람이 잊지 말아야 할 세 가
지 마음가짐으로 희심喜心, 노심老心, 대심大心을 이야기했습
니다. 이 내용을 풀어 쓰면 공양을 만들어 대접하기를 기뻐
하는 마음, 노파처럼 상대를 생각하면서 정성껏 요리하는 마
음, 무엇에도 얽매이지 않고 큰마음으로 요리를 만드는 자세
를 의미합니다.

음식을 만들 때는 항상 그 음식을 먹을 사람을 생각하면
서 정성을 다해야 합니다. 음식의 재료를 구하고 요리할 때
도 소홀히 해서는 안 됩니다. 또 그렇게 만들어진 음식을 먹
는 사람의 마음가짐 역시 매우 중요합니다.

쌀 한 톨이 음식으로 만들어져 내 앞에 오기까지는 수많
은 사람의 수고와 천지만물의 은혜가 깃들어 있습니다. '쌀
미米' 자에는 '88회'라는 의미가 담겨 있습니다. 88회에 걸친
농부의 정성스러운 손길과 지극한 마음이 깃들어야 비로소
생명을 이어갈 수 있는 쌀을 생산할 수 있다는 의미입니다.
그러한 농부의 수고와 자연의 자비를 떠올리면서 모든 이들
에게 감사의 마음을 담아 깨달음을 얻겠다는 원력으로 공양
을 해야 합니다.

"이 음식이 내 앞에 이르기까지 수고하신 모든 분들의
공덕을 생각하면서 두 손 모아 감사히 먹겠습니다."

공양하기 전에 이 게송을 외우고 공양하는 습관을 길러
보는 것도 좋습니다. 분명 음식에 깃든 농부와 자연의 공덕
에 대해 감사한 마음이 일어날 것입니다.

흔히 선방 스님들은 대중 생활을 위해 각자 소임을 나누
어 맡습니다. 그 가운데 음식을 만드는 일과 관계된 소임으
로는 밥을 짓는 공양주供養主, 반찬을 마련하는 채공菜供, 국
을 끓여서 내는 갱두羹頭가 있습니다. 절에서는 다섯 가지 향
신료인 오신채를 사용하지 않고 채식으로 공양을 준비하기
때문에 음식이 담백하고 정갈합니다.

자연 조미료와 자연식 재료만 가지고 음식을 조리하는 공
양간의 소임자와 불자들은 자신이 만든 음식을 먹고 부지런
히 수행 정진하여 위없는 깨달음을 얻기를 간절히 발원하는
마음으로 공양을 짓습니다. '부처님께 올리는 공양'이라는 지
극한 마음으로 밥을 짓고 반찬을 조리하기에 음식 재료를 손
질하고 조리하는 일체의 과정이 곧 수행과도 같습니다.

이러한 수고로움이 깃든 공양인 까닭에 공양을 드는 이
들 역시 그 행위를 마음을 닦는 수행으로 삼아야 합니다. 그

러하기에 사찰 공양간에서 공양을 드는 과정은 나를 채우는 동시에 남을 위한 보살행을 몸에 담아가는 배움의 장인 것입니다.

나누고 싶은 마음밥상 ∞ 아욱수제비

아욱은 텃밭에서 풋풋하게 잘 자라는 여름철 대표 채소입니다. 더위로 기력이 떨어지고 입맛이 없을 때 아욱에 된장을 풀어 죽을 끓여 먹으면 떨어진 소화력을 회복시키는 데 도움이 됩니다.
점심 공양으로 수제비를 하려면 아침 공양 후 일찌감치 반죽해서 따뜻한 곳에 두고 부드럽게 발효를 시켜야 합니다. 된장은 찬물에 풀고, 거품으로 떠오르는 발효된 불순물을 제거하면서 끓여야 쓴맛과 텁텁한 맛을 줄일 수 있습니다. 말랑하게 잘 부푼 반죽을 후원 식구 여럿이 모여 먹기 좋게 얇게 펴서 뚝뚝 떼어 넣습니다.
수제비를 하는 날이면 아궁이에 불을 지펴 매운 연기와 끓어오르는 김 속에서 무심한 표정으로 그 많은 수제비를 혼자 뜨시던 어머니의 모습이 떠오릅니다.

다정한 마음이 채운 한 그릇

자연의
가르침

차가운 공기를 비집고 겨울 아침을 여는 햇살은 참으로 반
갑고 따스하기만 합니다. 햇살은 삼라만상의 존재를 제 빛깔
로 빛나게 하는 손길입니다. 봄에 다시 솟아오를 에너지를
보완해주기 때문입니다. 그러하기에 겨울 아침 햇살이 더욱
고맙게 느껴지는 것 같습니다.

유트족 인디언의 기도문 하나를 소개할까 합니다.

> 풀잎들이 햇빛 속에 고요히 있듯이
> 대지는 내게 침묵을 가르쳐주네
> 오래된 돌들이 기억으로 고통받듯이
> 대지는 내게 고통을 가르쳐주네

꽃들이 처음부터 겸허하게 피어나듯이

대지는 내게 겸허함을 가르쳐주네

어미가 어린 것들을 안전하게 돌보듯이

대지는 내게 보살핌을 가르쳐주네

나무가 홀로 서 있듯이

대지는 내게 용기를 가르쳐주네

땅 위를 기어가는 개미들처럼

대지는 내게 한계를 가르쳐주네

하늘을 쏘는 독수리처럼

대지는 내게 자유를 가르쳐주네

가을이면 떨어져 생명을 마감하는 잎사귀들처럼

대지는 내게 떠남을 가르쳐주고

봄이면 다시 싹을 틔우는 씨앗처럼

대지는 내게 부활을 가르쳐주네

눈이 녹으면서 자신을 버리듯이

대지는 내게 버리는 법을 알려주네

마른 평원이 비에 젖듯이

대지는 내게 친절을 기억하는 법을 알려주네

지금 발 딛고 선 이 땅과 자연에게서 우리는 무엇을 배우고 있나요? 잠시 고개 들어 하늘을 보고 빌딩 숲 사이 바람을 느끼고 저 멀리 산과 나무를 보고 들풀을 보고 햇빛을 보면서 가만히 음미해보세요. 또 가장 가까운 가족의 얼굴을 떠올려보고 옆집 이웃의 얼굴을 떠올려보고 직장 동료들을 떠올려보세요. 이웃 나라 혹은 아주 먼 나라의 사람들을 떠올려보고 천년 전 사람들의 모습도 떠올려보세요. 지구라는 별의 어느 곳에서 앞서간 혹은 지금 함께 살아가고 있는 그들의 가르침에 가만히 귀 기울여보세요.

아마 그들은 누가 무어라 해도 그 무언가를 무심히 혹은 간절하게 기도하듯 염송하고 있을 것입니다. 그것이 살아 있는 존재든, 인간의 눈에 감정이 없는 무정의 존재든 그러할 것입니다.

나누고 싶은 마음밥상 ∞ 도토리옥수수떡

가을이 한창인 불영사 도량에는 금강송과 더불어 상수리, 굴참, 떡갈, 갈참나무 등 도토리나무가 울창합니다. 그래서일까요? 볼에 한가득 도토리를 입에 담고 뛰어다니는 다람쥐들의 발걸음이 분주합니다. 겨울을 준비하는 모습이 너무나도 거룩해 보입니다.

도토리는 예로부터 영양분과 식이섬유가 풍부하고 열량이 낮아 다이어트에 효과적이며, 혈관질환 예방, 중금속 배출, 해독 작용, 당뇨 예방, 노화 방지에도 도움이 되는 음식입니다.

도토리와 잘 어울리는 옥수수 또한 건강과 영양을 채워주는 소중한 식재료입니다. 혈당을 조절해주고 소화를 촉진하며 면역력을 강화해주니 참으로 우리 몸을 건강하게 지켜주는 음식이 아닐 수 없습니다.

도토리 가루와 옥수수 가루로 고물과 떡가루를 만들어 켜켜이 올려 찐 도토리옥수수떡을 한 입 베어 물면, 도토리 향이 입 안 가득 퍼지면서 어느새 우리를 숲길로 인도해줍니다.

다정한 마음이 채운 한 그릇

먹는다는 것에
대하여

자연 생태계 안에서 모든 존재는 '숨'에 의지해 살아갑니다. 순간순간 숨을 들이쉬고 내쉬는 것을 통해 우리는 살아 있음을 느낍니다. 하지만 공기와 호흡의 중요함에 대해 생각하는 사람은 드뭅니다. 너무나 반복적으로, 의식하지 못한 채 되풀이하다 보니 숨 쉬는 것을 당연하게 생각합니다. 어쩌면 아예 생각조차 못 하는 사람이 대부분일 것입니다.

우리가 발 딛고 살아가는 지구별의 신음 소리를 무시하는 것과 같은 이치랄까요. 옆집에서 무슨 일이 일어나는지도 모른 채 살아가듯 어쩌면 알면서도 애써 지구의 아픔과 고통을 고개 돌려 외면하고 있는지도 모를 일입니다. 지구 온난화로 계절의 경계가 옅어지고 미세먼지로 보금자리가 위협당하고 있는데도 말입니다.

공기와 물이 오염되니 공기청정기와 정수기 광고가 부쩍 늘었습니다. 우리 인간이 더 잘 먹고 더 잘 살기 위해 달려가는 그 길이 과연 옳은 길인지 깊이 생각해보아야 할 때입니다. 잘 먹고 잘 사는 길은 나 혼자 그렇게 간다고 이룰 수 있는 게 아닙니다. 주변 사람과 자연환경 모두가 함께 공생해서 잘 살아야 한다는 가치를 깨닫고, 그것을 구현하기 위해 실천하고 노력해야 가능한 일입니다.

공기와 물과 땅이 오염되면 우리가 먹는 음식 또한 온전할 수 없습니다. 땅과 공기가 나빠지면 거기에 의지해 살아가는 동물과 식물 역시 영향을 받기 때문입니다. 그러한 존재로부터 영양분을 공급받아야 하는 인간 역시 악조건 속에서 벗어날 수 없습니다.

요즘은 먹는 것 하나도 몸의 건강뿐 아닌 마음의 건강까지 함께 생각해야 하는 시대입니다. 그러다 보니 식재료가 음식이 되어 밥상에 오르기까지 환경을 비롯한 생산과 유통, 전 과정이 얼마나 중요한지를 실감하게 됩니다.

그래서일까요? 맑은 정신과 정성으로 식재료를 손수 길러 먹는 '사찰 음식'이 주목받고 있습니다. 도시인들이 실행할 수 없는 일이다 보니 깨끗하고 청정한 사찰 농지에서 자

다정한 마음이 채운 한 그릇

란 각종 식재료로 만든 건강한 음식이 관심받는 것은 당연한 일입니다.

부처님 말씀 가운데 음식에 관한 가르침이 많이 있습니다. 《증일아함경增一阿含經》 제42권 〈결금품結禁品〉에서는 먹는 것에 대한 중요성을 다음과 같이 전하고 있습니다.

일체의 중생은 음식으로 말미암아 존재하고
먹지 않으면 죽는다.
一切衆生由食而存 無食則死

불교에서 말하는 '먹는다는 것'에 대한 의미를 돌아봅니다. '먹는다는 것'은 음식의 빛깔과 소리와 맛, 냄새 그리고 식감을 즐기는 과정입니다. 대개는 음식을 먹을 때 이러한 오감을 즐기며 만족을 느끼고 행복해합니다. 그러나 수행자들에게 먹는다는 것은 조금 다릅니다. 수행과 지혜를 닦는 몸을 지탱하고자 하는 방편으로 음식을 먹습니다. 단순히 오감을 즐기고자 먹는 게 아니라는 것입니다.

불교 오계의 첫 번째가 '산 생명을 죽이지 말라'입니다. 이 불살생不殺生 계율은 생명 존중이야말로 최상의 가치임을 표현한 것입니다. 다른 생명을 해쳐서 그것으로 내 생명을 연명하기 위한 음식으로 삼아서는 안 된다는 의미이기도 합니다.

몸을 유지할 수 있는 마음 작용을 음식에 비유한 내용이 경전에는 자주 나옵니다. 더불어 기쁜 마음을 일으키는 감촉, 욕구와 의도를 비롯한 사유 작용, 분별하여 아는 인식 작용도 우리 몸을 유지하는 음식이라 했습니다.

이와 더불어 출가 수행자들이 먹는 다섯 가지 음식이 있습니다. 선정의 힘, 바른 원, 바른 생각, 번뇌를 떠난 해탈, 불법을 배우는 기쁨이 바로 그것입니다. 깨달음의 씨앗을 키워 지혜의 생명을 유지하기 때문에 먹는 일에 비유한 것입니다.

출가자가 지켜야 할 행동 규범과 의식 절차 등을 상세히 설명하고 있는 《십송률十誦律》에는 먹는 것에 대한 규칙이 나옵니다. 건강한 수행승에게는 '일일일식一日一食'을 원칙으로 하고 거친 음식을 먹게 하는 한편, 병든 사람에게는 어떠한 규칙이나 금하는 음식도 없게 하고 각종 병에 맞는 적당한 음식으로 병을 고치라고 했습니다.

부처님은 깨달음을 얻기 전 6년 동안 죽음 직전까지 갈 만큼 극심한 고행을 했습니다. 고행은 육체가 원하는 것을 역행하는 행위로, 부처님은 먹는 것을 계속 줄여나간 끝에 음식을 거의 끊었습니다. 먹지 않을뿐더러 잠도 자지 않으면서 육체를 괴롭히자 형상은 갈수록 끔찍하게 변해갔습니다. 부처님의 고행을 가장 잘 표현해주는 말이 "항상 죽음과 함께 있었다"는 것입니다.

이후 욕구를 따라가는 쾌락주의와 욕구를 억제하는 고행주의를 모두 버리고 출가의 목적을 상기하며 부처님은 새로운 수행법을 찾게 됩니다. 하지만 쇠약해진 몸으로 강에서 목욕을 하고 올라오다가 그만 언덕에서 쓰러집니다. 다행히 생명이 끊어지기 직전 수자타 여인이 올린 죽을 드시고 부처님께서는 원기를 회복합니다. 이때 올린 죽이 바로 타락죽(또는 유미죽)이라고 하는 우유죽입니다.

이처럼 불교에서 음식을 먹는다는 행위는 수행을 위한 그릇인 몸을 보호하는 데 그 첫 번째 의미가 있습니다.

나누고 싶은 마음밥상 ∞ 타락죽

타락죽은 조선시대 임금님이 아플 때나 특별한 날 보양식으로 먹던 음식으로, 식물성 쌀과 양질의 단백질인 우유의 배합은 영양소 섭취의 상승 작용을 가져옵니다.

타락죽은 불린 쌀을 굵게 간 후 냄비에 부어 약한 불로 노릇해질 때까지 쌀을 볶다가 불을 끄고 물을 부어 멍울 없이 갠 후 다시 끓여줍니다. 죽이 끓어 쌀알이 풀어지면 우유를 붓고 약한 불에서 뚜껑을 덮고 다시 끓입니다. 눌어붙지 않게 나무주걱으로 저어주며 걸쭉해질 때까지 끓여 소금이나 설탕으로 간을 합니다.

요즘에는 스님들의 아침 공양으로 죽과 함께 뿌리채소들이 자주 상에 오르는데, 이처럼 몸에 이로운 죽이 사찰 음식으로서만 아니라 일반 가정에서도 아침 식사로 자리 잡았으면 하는 바람입니다.

다정한 마음이 채운 한 그릇

마음
훈련

우리의 지고지순한 본래 마음만이 내 몸의 주인이며 내 인생의 주인이며 이 세상의 주인입니다. 그래서 마음에 나쁜 생각이 일어나면 괴롭고, 좋은 생각이 일어나면 즐겁습니다.

과하게 욕심을 내면 그로 인해 병에 걸리기도 하고 헛된 고통을 만들어내기도 합니다. 그런 아픈 마음을 치료하는 것도 마음이 할 수 있으니, 마음 작용으로 말미암아 지금 앓고 있는 큰 병을 낫게 하기도 합니다. 내 몸에 깃든 모든 고통의 뿌리는 바로 내 마음 안에 있기 때문입니다.

스코틀랜드의 과학자 데이비드 해밀턴David Hamilton 박사는 강연을 다니며 사람들에게 "마음을 훈련하면 뇌가 바뀐다"고 말합니다. 성인의 뇌도 명상이나 학습 또는 후천적인 경험을 통해 뇌 구조의 생화학적 바탕이 바뀔 수 있으며, 그 증거들이 뇌 영상 기록 장치를 통해 속속 드러나고 있다고 주장합니다. 마음 훈련과 그 힘을 통해서 몸의 병을 고칠 수 있고, 마음에서 일어나는 수많은 번뇌 망상도 통제할 수 있다는 것입니다.

> 꽃은 피고 지나
> 언제나 말이 없고
> 바람은 가지 끝에 머무나
> 언제나 자취가 없네
> 봄 산은 스스로 푸르고
> 물은 절로 흐르는데
> 온종일 선불장에 앉아
> 텅 빈 마음 마주하고 있네

우리 인간은 평생을 살아가면서 매우 다양한 일들을 체험하고 학습합니다. 그중에는 우리가 생각하지 못했던 일들도 수없이 많습니다. 세상의 문제나 자신에게 일어나는 크고 작은 일들을 직면하여 정직하게 자신의 마음을 들여다보면서 극복하는 연습을, 때로는 실패하여 고통받는 연습을

다정한 마음이 채운 한 그릇

해야 하는 이유입니다.

물론 그런 과정을 거친다 해도 우리는 원인 모를 고통과 불편을 무수히 경험합니다. 그 원인이 무엇인지도 모르고 습관적으로 행동해왔거나 습관이 되다 보니 인식하지 못한 채 무의식적으로 안 좋은 일을 반복하는 것입니다. 그것은 다스릴 수도 없고 치유할 수도 없습니다.

그래서 우리는 지금 내가 무슨 생각을 하고 있는지, 어떤 행동을 하고 있는지를 명확하게 알아차릴 수 있도록 명상을 생활화해야 합니다. 명상을 하다 보면 내가 아픈 원인을 바르게 볼 수 있고 치유할 수 있는 길을 찾을 수 있습니다. 내 마음을 다스리고 돌보는 힘이 나로부터 생겨납니다. 그것이 마음 훈련입니다.

나누고 싶은 마음밥상 ∞ 채소된장죽

산속의 겨울바람은 살갗을 그어대는 것처럼 매섭습니다. 이런 날 구수한 된장 냄새가 공양간에서 흘러나오면 몸과 마음이 따뜻해집니다.

콩으로 만든 장류는 단백질 공급원으로, 채식으로 공양하는 스님들에게 중요한 식재료가 됩니다. 된장의 다섯 가지 덕목을 살펴보면 첫째 단심丹心, 다른 맛과 섞여도 제맛을 잃지 않으며, 둘째 항심恒心, 오래 두어도 변질되지 않고, 셋째 불심不心, 기름진 냄새를 없애주며, 넷째 선심善心, 매운맛을 부드럽게 해주고, 다섯째 화심和心, 어떤 음식과도 조화를 이룹니다. 우리들 삶을 돌아보게 하는 덕목이기도 합니다.

집된장과 한두 가지 채소만 가지고 만든 죽은 맛과 향이 깊으면서도 깔끔합니다. 또 속이 따뜻하면서 편안해지고 다른 찬이 필요하지 않아 간편한 상차림에 좋습니다.

다정한 마음이 채운 한 그릇

음식 만드는 과정이
마음자리

사찰에서는 대중이 많이 모이는 법회나 크고 작은 행사가 있으면 으레 비빔밥을 메뉴로 선정합니다. 비빔밥은 바쁜 일상에서 생겨난 간편식이라고도 할 수 있습니다. 무엇보다 일일이 찬을 갖추지 않더라도 밥 위에 갖가지 재료를 올려 쓱쓱 비비기만 하면 한 끼 식사로 손색이 없어 특히 대중이 많은 큰 행사에 제격입니다.

비빔밥은 나물의 잎, 줄기, 뿌리 부분의 영양이 골고루 잘 갖추어진 재료에 다섯 가지 오방색의 조화로움이 어우러져 한국 특유의 매운맛인 고추장과 조화를 이룰 때 본연의 맛을 느낄 수 있습니다. 모양과 색깔, 성질과 효능이 각각 다른 나물과 밥이 만나서 섞이는 과정은 흡사 도道를 이루는 과정과도 같습니다. 서로 다른 나물의 재료가 각각의 성질을 드러내지 않고 잘 섞여 하나가 되었을 때 입속에서 '바로 이 맛이야' 하는 것과 같이, 출가 수행자가 서로 다른 대중들과 만나서 불법佛法이라는 바탕에 몸과 마음을 다스리고 결국엔 다 함께 해탈 열반에 드는 것과 같은 맥락이기도 합니다. 이렇듯 음식에 담긴 의미나 만들어지는 과정에서도 마음을 열고 집중하여 마음자리 보는 눈을 크게 뜨면 그 자리에서도 도를 이룰 수 있습니다.

음식을 만들 때는 될 수 있으면 손질하지 않고 재료가 생긴 대로 익혀야 합니다. 일부러 모양내서 다듬지 않아도 됩니다. 팬에서 구르고 냄비에서 끓다가 다른 재료들과 만나서 스스로 모서리가 깎이고 숨이 죽고 다듬어져야 자연스럽게 어우러집니다. 또한 조화로운 맛을 냅니다. 수행자는 음식의 맛에 이끌리지 않아야 하며 무언가 감칠맛을 위한 인공감미료도 쓰지 않아야 합니다.

혀로 맛을 느끼되 탐착하지 않으면
과식의 욕망은 사라질 것이다.

크게 보면 우리의 삶도 마찬가지입니다. 끊임없이 더하

다정한 마음이 채운 한 그릇

는 것보다 불필요한 것들을 빼고 일상을 단순하게 정리하다
보면 삶이 고단하지 않고 바빠서 허둥대지도 않게 되어 비
위낸 자리만큼 여백의 마음자리와 오롯이 나에게 집중할 수
있는 시간을 덤으로 얻을 수 있습니다.

　요리하는 사람의 마음 자세에 대해《잡아함경》제24권
〈주사경廚士經〉에는 이런 말씀이 있습니다.

　　　요리사가 어리석고 분별력이 없어 숙련된 솜씨로 여러
　　가지 맛을 조화롭게 하지 못하면 손님을 받들어 공양할
　　때 시고 맵고 짜고 싱거운 것에 있어서 손님의 생각을 맞
　　추지 못하는 것과 같다. (중략) 여러 가지 맛의 조화를 잘
　　파악하지 못한다면 손님을 친히 모시지도, 또 그가 필요
　　로 하는 것을 가까이에서 살피지도 못할 것이다. 그가 바
　　라는 바를 잘 들어 그 마음을 잘 파악하고 스스로 마음을
　　써 여러 가지 맛을 조화시켜 손님에게 올려야 한다.

　이렇듯 요리하는 사람은 지혜로워야 합니다. 매 순간 늘
깨어 있어서 마음자리를 챙길 수 있는 주인으로 살아야 합
니다.

나누고 싶은 마음밥상 ∞ 가사리비빔밥

차가운 날씨와 함께 겨울이 시작되면 이듬해 봄이 오기까지 우리 몸에 필요한 영양소를 섭취하며 겨울을 나야 합니다. 김과 파래, 매생이 등은 물미역, 다시마, 톳과 함께 사찰에서 먹는 중요한 해조류로, 겨우내 비타민과 미네랄 같은 인체 대사에 필요한 주요 영양소를 섭취할 수 있도록 도와줍니다.

얼마 전 인연 있는 남해의 한 스님이 향이 좋은 가사리를 보내주셨습니다. 흔히 알려진 세모가사리는 남해안의 특산물로 순수한 가사리로만 유통되기도 하지만, 김과 파래 등을 함께 섞어 만들기도 합니다. 다른 해조류처럼 초고추장과도 잘 어울리며, 참기름과 집간장으로 무쳐서 다른 나물들과 섞어 비빔밥으로 먹으면 가사리의 향긋한 맛이 일품입니다.

다정한 마음이 채운 한 그릇

수행자의
삶

어제는 한겨울인데도 산사에 눈 대신 제법 많은 양의 비가 내렸습니다. 마치 봄이 오는 듯한 느낌이 들었습니다. 비가 와서일까요. 촉촉이 젖은 불영사의 새벽이 생명의 기운이 가득합니다.

스스로 그러한 존재인 자연의 기운이 너무나도 좋아 제가 거처하는 공간의 당호를 청향헌淸香軒으로 바꾸었습니다. 깨끗하고 맑은 법의 향기가 항상 가득하다는 의미입니다. 제 삶 역시 자연과 같이 항상 여여如如하고 그 누군가에게 터전이 되었으면 하는 바람입니다. 아울러 상의상관相依相關의 원리에 따라 이 세상에 도움이 될 수 있는 존재이기를 발원합니다.

아침 해 오죽숲에 청량한 빛 선명하고

대숲 바람 설매화를 스치듯 감고 도니

뜨락 설매화 향기 청향헌에 가득하네

주지 스님은 행정상으로 그 절의 최고 책임자입니다. 절은 스님들이 공동체 생활을 하면서 먹고 입고 자는 공간입니다. 스님들의 수행생활뿐만 아니라 신도들의 교화를 위한 법회, 기도 등이 이루어지는 신앙생활을 위한 공간이기도 합니다. 주지 스님은 이러한 신앙과 수행생활이 원만하게 진행될 수 있도록 살펴야 합니다.

조선시대를 거쳐오면서 절이 산으로 밀려나 고찰古刹의 경우 대개 산에 있기는 하나 요즘에는 도심에도 도량들이 많아 활발하게 전법 활동이 이루어지고 있습니다. 종교 본연의 임무가 그러하듯이 지역사회의 발전을 위한 나눔과 봉사 등 다양한 활동도 함께 펼치고 있는 것은 물론이고요.

주지 스님은 절 살림을 맡아서 행정 업무를 도맡아 하는 것은 물론, 법상에 올라 법을 설하고 선방 납자들의 수행을 지원하고 지도하며, 수계 등의 신행을 인례하기도 합니다. 근대에 와서는 총림에 방장, 기타 큰 사찰에 조실이라는 어른 스님을 모시고 수행 지도를 받고 있습니다. 다시 말해 밖으로는 주지 스님이 사찰을 대표하고, 안으로는 어른 스님의 수행 지도를 받는다고 할 수 있습니다.

절 살림은 세간의 어느 살림보다 어렵습니다. 그러다 보니 주지 스님을 비롯하여 절 살림을 맡아야 하는 스님들은 수행에만 전념할 수 없기에 소임 맡는 일을 꺼립니다. 그러나 가만히 그 마음들을 들여다보면 적어도 제가 보는 견지에선 '수행'을 제대로 이해하지 못해 생기는 일입니다.

옛 선사들은 걸어 다니거나 머물러 앉아 있거나 누워 있거나 말을 하거나 침묵하거나 움직이거나 고요한 상태에 있는 모든 행위를 일컬어 참선이고 수행이라 했습니다. 앉아서 침묵하며 벽을 바라보고 정진하거나 땀 흘리며 몸을 움직여 절을 하거나 법문을 하고 대중을 교화하거나 소임을 맡아서 절 살림을 사는 일 모두가 수행이라는 것입니다.

흘러가는 물에는 자신의 얼굴을 비추어 볼 수 없습니다. 고요한 물에 비추어 보아야 나의 모습이 반듯하게 드러납니다. 그렇듯 마음이 고요한 사람만이 자기 자신을 분명히 알고 충만한 지혜와 자비심을 밝힐 수 있습니다. 이러한 지혜와 자비심은 세상을 맑힐 수 있습니다. 사람이 사람답게 살아가는 힘을 갖게 해줍니다. 그러니 각자가 어디에 속해 있든 반듯하고 지극한 신심으로 자기가 맡은 소임을 다한다면 그곳이 법당이요, 주위에 있는 분들은 스승이자 도반일 것입니다.

자비로운 마음은 상처받은 사람의 마음을 치유하고, 갈등으로 분열된 마음을 하나로 통합하는 힘을 갖습니다. 더 나아가 일체 모든 생명 있는 존재를 아끼고 사랑할 수 있는 근본적인 에너지가 됩니다. 앉아서 명상을 하거나 집안일을 하거나 직장 생활을 하면서도 자비로운 마음을 일으킬 수 있다면 수행자가 될 수 있습니다. 자비로움을 갈고 닦아 실천하는 사람, 그 사람이 바로 진정한 수행자입니다.

나누고 싶은 마음밥상 ∞ 제피잎무침

불영사 경내 부도탑 주변과 김치광 옆에는 제피나무(초피나무)가 군락을 이루고 있습니다. 연둣빛 어린잎은 시간이 지날수록 짙은 초록으로 변해가며 가을까지 넉넉한 잎을 스님들에게 보시합니다.

산사에서는 오래전부터 독특한 향과 알싸한 맛의 제피로 장아찌를 담고 장떡을 만들었습니다. 금방 딴 제피잎은 바로 무쳐

겉절이로 먹기도 하고 견과류를 더해서 조림을 하기도 하며 말린 가루를 토장국에 넣어 먹기도 합니다.

이른 봄의 새순은 여리지만 가지 사이로 날카롭게 가시가 돋아 있어서 손으로 채취를 할 때는 늘 조심해야 합니다. 그 향과 맛은 어린잎이라도 순하지 않으며, 과하게 먹으면 정신이 번쩍 들 정도로 입 안이 얼얼합니다. 마치 도량 안 제피보살이 항상 깨어 있으라는 가르침을 주는 것 같습니다.

지금, 당신은
어디로 가십니까?

날이 추워서 그런지 산새들의 움직임이 적습니다. 산나무는 잎을 떨구고 겨울의 찬바람을 그대로 맞이합니다. 자연도 이러하거늘 우리 인간들도 버리고 비우는 연습을 끊임없이 해야 합니다. 그렇게 함으로써 우리 인생은 더욱 행복하고 풍성하게 바뀔 수 있습니다. 이러한 변화 속에는 감사와 만족을 깨닫게 하는 힘이 깃들어 있습니다.

집착하지 않음으로써 번뇌가 사라지고 우리는 평안을 얻게 됩니다. 《숫타니파타》에 따르면, "일어난 번뇌를 없애고 다시 번뇌를 일으키지 않는다면 그것이 바로 성인의 길"이라고 했습니다. 예나 지금이나 성인의 기준은 번뇌 망상에 붙들리지 않아야 하고 항상 평정심을 유지하는 것입니다.

다정한 마음이 채운 한 그릇

이미 생겨난 번뇌의 싹을 잘라버리고 새로 심지 않으며

지금 생긴 번뇌를 기르지 않는다면

홀로 가는 그 사람을 성인이라 부른다.

이 위대한 성인은 절대 평화의 경지에 이르렀다.

모든 번뇌가 일어나는 근본을 살펴

그 원인을 헤아려 알아차리고

그것에 집착하는 마음을 기르지 않는다면

그는 참으로 삶과 죽음을 뛰어넘은

절대 평화의 세계를 바라본 성인이다.

그는 이미 망상을 초월했기 때문에

두 번 다시 미혹에 빠지지 않을 것이다.

티베트에는 여행 중에 가던 길을 멈추고 잠시 뒤돌아보는 '관심'이라는 전통이 있습니다. 자신이 얼마나 떠나온 것인지 확인하는 풍습입니다. 하지만 지금 우리의 삶은 앞만 보고 달려가는 경주마와 크게 다르지 않습니다. 주변을 둘러보면 여러 갈래 길이 있는데 왜 우리는 한 방향만을 바라보며 그곳만 쫓고 있는지 안타까울 뿐입니다.

거기에 더해 우리 인간은 속도 경쟁을 반복합니다. 누가 더 빨리 가느냐에 집착해 있느라 경쟁하고 있는 줄도 까맣게 잊어버렸습니다. 심지어 자신이 왜 빨리 가고 있는지도 모릅니다.

사방에서 달려가니까 나도 그 대열에서 낙오되지 않기 위해 불안해하면서 달려갑니다. 더 빨리 가는 방법을 연구하고 남의 다리를 걸어 넘어뜨려서라도 앞질러 가려고 합니다. 그 끝에 낭떠러지가 있을지도 모르고, 바로 코앞에 돌무더기가 있을지도 모르는데 말입니다. 이러한 경쟁 사회에서 우리는 숨이 넘어가더라도 가쁜 숨을 몰아쉬면서 달려가야만 합니다. 가던 길을 멈추고 되돌아볼 여유가 없습니다.

하지만 이제라도 우리는 '지금 내가 왜 달려가고 있는지', '어디로 가고 있는지', '가고자 하는 그곳은 어떤 곳인지' 꼼꼼히 살펴보아야 합니다. 나의 판단이 얼마나 정확하고 바른지 돌아보아야 합니다.

지금, 당신은 어디로 가십니까?

다정한 마음이 채운 한 그릇

나누고 싶은 마음밥상 ∞ 호박설기떡

굴뚝에서 연기가 피어오르고 솥뚜껑이 열리며 김이 모락모락 나는 정겨운 부엌 풍경은 이제 시골에서도 쉽게 찾아보기가 힘듭니다. 장작 때던 아궁이는 연탄 아궁이로 바뀌고, 다시 도시가스로 바뀌어 어느새 집 안으로 들어왔습니다.

급변하는 시대에 발맞춰 먹거리 역시 좀 더 간편하고 조리가 빠른 방향으로 변해가고 있지만, 한편에서는 느림의 미학을 강조하며 슬로푸드의 가치를 중요하게 생각하는 현상도 늘어가고 있으니 참으로 이상한 일이기도 합니다.

오래 준비하고 기다려야 하는 느림의 음식 중 하나로 우리나라에는 떡이 있습니다. 쌀만으로도 쉽게 만들 수 있고, 밤이나 땅콩, 콩, 호박 등을 함께 넣어서 만들 수도 있습니다. 호박설기떡은 호박이 익으면서 단맛이 강해지므로 다른 첨가물 없이도 재료 고유한 맛을 냅니다.

2
채
우
다

하늘 구름 여기저기 봄새 따라 떠다니고
불영계곡 청정수는 동쪽으로 흘러가네
천축산은 침묵하고 스님들도 고요한데
맑은 봄빛 소리 없이 온 도량에 가득하네

고요한 불영산사 봄빛이 찾아들고
목탁새 죽비소리 선승들을 깨우고
찬바람 겨울 눈꽃 도반 맺은 금강송도
선불장 옆 천년 세월 선정삼매 깨어나네

적당한
양

절에서는 하루 세 끼 식사를 '공양'이라고 합니다. 그 외에도 부처님께 올리는 모든 것을 공양이라고 부릅니다. 향공양, 등공양, 차공양, 꽃공양, 과일공양 등이 있지요. 부처님의 가르침을 담은 경전이나 책을 나누어줄 때도 법공양이라는 말을 씁니다. 법보시라고도 하고요.

공양은 '웃어른을 모시어 봉양한다'는 뜻으로, 음식을 올리는 것 외에도 '뜻을 받들어 모신다'는 존경의 의미가 있습니다. 따라서 공양은 '공양한 음식을 누군가가 먹는다'는 것을 상기하고, 시주의 은혜 역시 잊지 말아야 합니다. 그래서 스님들은 '공양을 수행하여 깨달음을 얻기 위해 부득이 최소한의 약으로 받아야 하며, 깨달음을 얻은 뒤에는 가르침을 베풀어 보답해야 한다'고 생각했습니다.

스님들이 하는 식사를 '발우공양'이라고 합니다. 발우는 '적당한 양을 담는 밥그릇'이란 뜻으로, 스님들이 쓰는 밥그릇을 가리키는 용어입니다. 발우공양은 단순히 밥을 먹는 행위가 아닙니다. 불보살을 생각하고, 자연과 뭇 중생들의 노고를 생각하며, 깨달음을 이루겠다는 서원을 다짐하는 거룩한 의식입니다.

이 음식이 어디서 왔는가

내 덕행으로 받기가 부끄럽네.

마음에 온갖 욕심 버리고

육신을 지탱하는 약으로 알아

도업을 이루고자

이 공양을 받습니다.

발우공양을 할 때는《소심경小心經》을 외웁니다.《소심경》에는 어떤 마음으로 음식을 받고, 어떤 마음으로 음식을 먹으며, 모든 중생과 함께 평등하게 나누어 먹겠다는 자비의 마음이 담겨 있습니다.

우리도 밥을 먹을 때는 육체의 건강을 유지하고, 나아가서는 깨달음을 얻어 행복한 삶, 자유로운 삶을 발원하는 계기가 되었으면 합니다.

나누고 싶은 마음밥상 ∞ 보름오곡밥

정월 대보름날 공양간에서는 타닥타닥 장작불을 지펴 가마솥에 오곡밥을 짓고 미역국을 끓입니다. 가마솥 뚜껑이 열리면 향기로운 냄새가 공양간을 가득 메웁니다.

어떻게 밥에서 이런 향이 날까요? 비결은 싸리나무에 있습니다. 싸리나무를 꺾어다가 솥 제일 아래에 깔아두고 그 위에 밥을 짓기 때문입니다.

김이 오르면 간간한 소금물을 두세 번 정도 끼얹었고 다시 한 번 김을 올립니다. 다된 오곡밥을 큰 그릇에 쏟아 주걱으로 고루 섞어 담아내면 눈과 코와 입이 다 같이 행복해집니다.

대보름날 먹는 음식으로 널리 알려진 오곡밥은 항암, 항염증, 항산화 활성이 높은 잡곡으로 나물과 김을 곁들이면 훌륭한 보양식이 됩니다. 찹쌀은 열이 많은 식품으로, 식욕 부진이나 소화 불량에도 효능이 있습니다.

행복한 식사를
원하십니까?

간간이 흩날리는 봄눈에도 불구하고 나뭇가지에는 어김없이 싹이 돋고, 단단한 땅을 밀어낸 초록의 생명들이 기지개를 켜는 계절입니다. 우리에게 기적이 있다면 바로 이런 것이 아닐까요.

아기가 엄마의 젖을 떼고 이유식을 하게 되면 엄마는 아기의 건강을 위해 최대한 자연 그대로의 맛에 충실한 영양식을 만듭니다. 구입한 식재료에 인공감미료라도 들었을까 염려되어 식품첨가물을 꼼꼼히 살핍니다. 아기를 위한 건강식은 식재료 본연의 맛을 그대로 살린 조리법으로 만든 음식이어야 한다는 생각이 있기 때문이지요.

그러나 아기의 건강을 챙기던 지혜로운 엄마는 어느덧

다정한 마음이 채운 한 그릇

아이가 TV를 보고 말을 하고 원하는 것을 사달라고 조르기 시작하면 그 첫 마음이 어디론가 사라지고 맙니다. 아이의 건강한 식습관도 동시에 사라집니다. 바쁘게 잘 짜인 아이의 하루 일과에 쫓기면서 가족의 건강도 함께 사라집니다. 아이가 원하는 식품을 선택하는 일이, 어르고 달래기보다 타협하기 쉬운 방법이라 생각하기 때문입니다. 그리고 아이의 무의식 속에는 엄마와 함께 장을 보면서 구입한 인스턴트식품, 좋아하는 TV 프로그램의 캐릭터가 그려진 다양한 가공식품들이 저장됩니다.

가공식품의 맛은 인공감미료에 의해 결정됩니다. 식품업체의 상술에 모두가 서서히 길들여지고 있음을 분명히 자각해야 합니다. 우리의 무의식에 자리하고 있는 색과 형태, 맛과 향 등에 현혹되는 것은 욕망입니다. 그리고 욕망은 욕심이기도 합니다. 불교에서 말하는 건강식은 욕심을 버리는 마음가짐입니다. 이 시기를 지혜롭게 넘기고 올바른 식습관을 형성시키면 세 살 버릇이 여든까지 갑니다.

인간이 생명을 이어가기 위해 음식을 먹는 것은 대단히 중요한 일입니다. 어머니가 사랑하는 아이를 위해 자연의 혜택을 충분히 받고 자란 식물과 화학비료를 먹고 성장한 식물을 꼼꼼히 구별해서 이유식을 만들던 그때를 잊지 않았으면 좋겠습니다. 어떤 재료로 어떻게 조리해서 먹였는지를 기억한다면 비싼 가격의 유기농 식품을 선택하지 않고도, 인공감미료에 의존하지 않고도 건강한 음식을 만들 수 있습니다.

누구든지 집에서 만든 간장, 된장, 고추장으로 성인병을 예방하는 식단을 짤 수도 있습니다. 맛과 향에 집착하지 않으며 감사하는 마음으로 행복한 식사를 영위하기 위해서는 스스로 자기의 식습관을 면밀하게 살피고, 먹을 때와 만드는 방법 등을 지혜롭게 지켜나가야 합니다. 그러한 마음을 가질 때 먹는 것으로부터 자유로워질 수 있고, 욕심은 사라지고 행복은 그와 더불어 깃들 것입니다.

우리가 진정 원하는 행복한 식사에는 물질적인 가치가 아닌 작은 노력과 책임감이 따를 뿐입니다.

나누고 싶은 마음밥상 ∞ 보리다대나물

겨울을 이겨낸 식물치고 생명력이 강하지 않은 것은 없습니다. 봄에 나는 나물들은 뿌리가 튼튼해 밟혀도 다시 꿋꿋이 일어나니, 그 특성상 허약한 오장육부의 기를 북돋워주는 데 좋습니

다정한 마음이 채운 한 그릇

다. 겨울을 머금은 찬 성질과 봄기운의 달고 쓴 것이 위를 다스리고 입맛을 돋우며 소화 작용에도 좋은 것이죠.

불영사 텃밭 여기저기에도 봄나물이 파릇파릇 물이 올랐습니다. 보리다대는 보리순이 자라는 초봄에 나는 나물로, 마을 사람들은 '벌구다대'라고도 부릅니다. 생김새는 돌나물과 비슷하게 생겼는데 냉이와 근접한 곳에 자라서인지 숙채로 무치거나 된장찌개, 국에 넣으면 영락없는 냉이 향과 맛이 납니다.

망초를 조금 섞어 국간장과 깨소금, 참기름을 넣고 조물조물 무쳐냈더니 대중 스님들께서 봄 내음 가득한 웃음으로 화답해주십니다.

봄을 준비하는
농부처럼

새벽부터 조용히 내리던 눈이 나뭇가지 위로 꽃을 피웠습니다. 봄을 시샘하는 꽃샘추위가 제법 기승을 부리고 있습니다. 맑은 아침이어서 그럴까요? 마음의 아침에도 환하게 빛이 들어 밝아옵니다.

집착을 없애는 일에 게으르지 말고
벙어리도 되지 말라.
학문을 닦고 마음을 안정시켜
이치를 분명히 알며
자제하고 노력해서
무소의 뿔처럼 혼자서 가라.

다정한 마음이 채운 한 그릇

소리에 놀라지 않는 사자처럼

그물에 걸리지 않는 바람처럼

진흙에 더럽히지 않는 연꽃처럼

무소의 뿔처럼 혼자서 가라.

《숫타니파타》에 나오는 이야기입니다. 지금 이 순간이 지나면 이 시간은 다시 돌아오지 않습니다. 무슨 일을 하든 지금 여기에서 최선을 다해 집중해야 합니다. 모든 존재하는 것들은 영원하지 않고 순간순간 변하기 때문입니다. 이것을 무상無常이라고도 하고, 공空이라고도 합니다.

인생은 참으로 무상합니다. 무상함을 알기에 어디에도 집착하지 않으며, 변화하여 없어짐을 알기에 불안하거나 두렵지 않습니다. 더욱 겸손해질 수 있고 당당해질 수 있습니다. 이것이 우리에게는 희망입니다.

사람들은 저마다 홀로 자기만의 세계를 꿈꾸면서 살아갑니다. 그중 자신의 인생을 아름답게 가꾸며 산다는 것은 결코 쉬운 일이 아닙니다. 그렇다면 어떤 삶이 아름다울까요? 그것은 바른길을 가는 사람입니다. 바른길은 자기완성의 진정한 깨달음을 위해 노력해가는 삶을 말합니다.

눈에 보이는 현상적인 세계는 변화하고 결국은 없어지지

만, 마음 그 자체는 변하거나 사라지지 않습니다. 그 마음이 내 인생의 모든 것을 만들어간다는 사실을 알아야 합니다.

꽃샘추위 속에 봄눈이 내렸지만 이제 더는 겨울이라 말하지 않습니다. 겨울잠을 자던 만물이 깨어나는 경칩에 접어들었습니다. 보리밭을 관리하고 새해 농사 준비를 하는 날입니다. 겨울이라고 움츠려 있기보다는 새봄을 맞이할 준비를 해야 합니다. 사중의 대중들 역시 힘들다고 움츠려 있지 말고 봄을 준비하는 농부처럼 희망을 향해 한 걸음씩 나아가야 합니다.

"봄은 봄이라고 발음하는 사람의 가장 낮은 목소리로 온다"고 노래한 어느 시인처럼, 우리도 희망과 행복을 작지만 지극한 마음으로 발원해봅시다. 그리하면 봄 같은 따스함이 꽃을 피우게 될 것입니다.

나누고 싶은 마음밥상 ∞ 버섯탕수

표고버섯은 기온이 낮고 건조한 바람이 부는 봄철에 자란 것이 맛과 향이 좋습니다. 고혈압과 콜레스테롤 수치를 낮추고 암

다정한 마음이 채운 한 그릇

발병률을 억제하며 몸의 면역 기능을 높여주는 레티넨이 들어있어 각종 종양이나 감기와 같은 잔병을 예방하는 데 도움을 줍니다.

오늘은 표고버섯을 주재료로 고구마, 피망, 당근, 양배추 등 계절에 맞는 채소를 이용한 채수에 식초와 설탕, 간장, 전분을 섞어 만든 탕수 소스를 끼얹어 먹음직스러운 버섯탕수를 내보았습니다. 절집 스님도, 일반인도 누구나 좋아하는 버섯탕수는 채식 위주의 식사에서 부족하기 쉬운 지방 섭취를 튀김으로 보충할 수 있는 영양식입니다. 남은 밥으로 누룽지를 만들어 누룽지 탕수를 해도 다들 좋아하는 별미가 됩니다.

꽃
떨어질까 봐

지금 산사에는 봄비가 내리고 있습니다. 문득 어느 불자님의
말이 떠오릅니다.

"비 내린다. 엄청 조용히. 꽃 떨어질까 봐!"

연세 지긋한 이분은 소녀의 감성을 갖고 계셨습니다. 순
백의 순수함, 동심의 천진함, 바로 수행자가 찾아야 할 고향
입니다.

> 천축산 봄빛은 불영 도량 가득하고
> 봄비가 내리니 가지가지 새움 돋네
> 눈 녹은 산 물은 쉼 없이 흐르고
> 해 저문 온 산천에 종소리만 퍼지네

다정한 마음이 채운 한 그릇

마음 하나를 열면 저 드넓은 우주를 담고도 남음이 있고, 마음 하나를 닫으면 바늘 하나도 꽂을 틈이 없습니다. 우리가 본래 갖추고 있던 무한한 열린 마음을 끄집어내야 합니다. 지금 내 마음이 얼마나 따뜻하고 광대한지, 그리고 청정하고 무한한 에너지를 가지고 있는지 그 사실을 알아차려야 합니다.

흔히 마음 쓰는 태도나 행동이 참되고 착실한 것을 가리켜 '진지眞摯하다'고 합니다. 우리의 일상에서 진지함이 없으면 살아가는 의미를 찾기가 어렵습니다. 무슨 일을 하든 진지함이 있으면 내 삶에 가치를 부여할 수 있고, 진지함이 없으면 향기가 없는 꽃처럼 무의미해집니다.

메아리는 소리를 꾸미지 않습니다. 내 소리가 크면 큰 만큼 울리고, 소리가 작으면 작은 만큼 울립니다. 내 삶에 진지함이 보태지면 그만큼 큰 것을 얻을 수 있습니다.

우리는 진지하지 못한 것에 가치를 부여하는 경우가 종종 있습니다. 우리가 말하는 '기적'이라고 하는 것이 대부분 그렇습니다. 공중부양을 한다든지, 바다가 갈라진다든지, 상식적으로 생각할 수 없는 일들이 일어날 때 기적이라며 놀라워합니다.

임제 선사는 "부처님이 여섯 가지 신통을 지니고 있으니 참으로 불가사의하다"고 말하는 수행자들에게 "여러 천신들과 신선과 아수라와 큰 힘이 있는 귀신들도 역시 신통이 있다. 그렇다면 이들도 마땅히 부처라고 해야 하지 않겠는가"라고 일침을 내리셨습니다. 그러면서 "땅을 걸어 다니는 그 자체가 신통이다"라고 하셨습니다.

어느덧 산사에는 봄꽃이 만개하였습니다. 또 작은 가지에 물오르는 소리가 들립니다. 아마 봄이 휘감고 올라가는 소리겠지요. 고목나무처럼 겨울을 버티고 섰다가 이 물오르는 소리와 함께 작은 새눈을 밀어 올리는 이것이 기적이 아니고 무엇이겠습니까?

나누고 싶은 마음밥상 ∞ 진달래화전

봄꽃은 보는 이의 마음을 흔들어 춤추고 싶게 합니다. 흐드러지게 핀 봄꽃들에 마음 빼앗기지 않으려 눈을 반쯤 감아보지만 이미 발걸음이 가볍습니다.

지금 불영사도 꽃 천지입니다. 산수유와 진달래가 도량을 둘러싸고 매화가 눈꽃이 되어 휘날리고 있습니다. 꽃길 따라 그대로

다정한 마음이 채운 한 그릇

향적세계香積世界로 이끌고 있습니다.

예전에는 산기슭을 발갛게 물들이는 진달래를 뜯어 화전을 부쳐 먹으며 봄을 즐겼습니다. 화전을 부칠 때는 뜨거운 기름에 꽃잎이 쉽게 변색이 되기 때문에 꽃잎을 올린 후에는 뒤집지 않아야 예쁜 꽃색을 만날 수 있습니다. 화전이 충분히 익었는지 먼저 확인하고 나서 꽃잎을 올리면 화사한 진달래화전을 만들 수 있습니다.

순수한 마음을
발견할 수 있다면

이제 막 피어난 연둣빛 잎새들로 산빛은 연약한 초록으로 뒤덮였습니다. 여기에 산벚꽃이 곳곳에서 점과 점으로 연결되어 불국토를 장엄하고 있는 듯합니다. 연약하고 작은 잎새와 꽃잎들이 모여 봄을 만들어가고 있습니다. 이렇게 작은 존재들의 제자리가 세상을 세상답게 만듭니다.

마찬가지로 우리도 나의 존재가 드러나지 않는다고, 누가 알아주지 않는다고 속상해할 이유가 없습니다. 남이 나를 어떻게 바라볼까 생각하기 이전에 지금 현재의 나 자신을 스스로 발견하고 아는 것이 중요합니다.

나를 관찰하는 것은 자신의 마음을 관찰하는 일과 같습니다. 욕구나 생각, 감정, 감각 등은 나의 의식에서 비롯되기

다정한 마음이 채운 한 그릇

에 이것이 모두 마음 작용임을 바로 안다면 쉽게 몸과 마음을 제어할 수 있을 것입니다.

고요한 마음 상태를 유지하는 것이 순수한 마음입니다. 물론 매 순간 다양한 모습으로 변화하는 삶 속에서 내 마음을 평상심으로 유지한다는 것은 쉬운 일이 아닙니다. 그렇지만 잠시라도 지금 있는 그대로 자신의 모습에 집중하고 몰입하면 순수한 마음을 발견할 수 있습니다. 그리고 순수한 마음자리에 오래 머물수록 세상의 이치를 바로 깨닫게 될 것입니다.

흔히들 사람들이 만드는 비극은 아는 것을 모른다 하고, 모르는 것을 안다고 하고, 본 것을 보지 못했다 하고, 보지 아니한 것을 보았다 하고, 듣지 않은 것을 들었다 하고, 들은 것을 못 들었다고 하기 때문에 일어나는 것입니다. 즉, 진정으로 알지 못하는 까닭입니다. 자연은 있는 그대로 정직하고 순수하게 반응합니다. 사람도 자연처럼 정직하면 편안하고 고요한 마음을 늘 유지할 수 있습니다.

사람은 누구나 공격적인 마음과 자애로운 마음을 함께 가지고 있습니다. 또 몰인정하면서도 부드럽고 진솔한 마음을 가지고 있는가 하면, 착한 마음과 나쁜 마음을 복합적으로 가지고 있는 경우도 있습니다. 생명의 에너지는 결코 정적인 것만은 아닙니다. 이런 마음이 순간적으로 일어났다가 저런 마음이 일어나기를 수도 없이 반복합니다.

"한 찰나의 생각이 구백 번 일어났다 사라진다"는 말이 있습니다. 그래서 착한 생각만 온종일 하지 않고, 나쁜 생각도 온종일 고정되게 하지 않는 것입니다. 하지만 우리의 그 마음을 정직하고 진실한 쪽으로 조율할 수 있는 절대적인 힘, 생명 에너지는 누구에게나 존재합니다.

자연의 생명, 즉 마음 에너지와 우주의 에너지는 항상 흐르고 있습니다. 우리는 좋고 나쁜 경험을 있는 그대로 온전히 받아들이면서 매 순간을 잘 살펴야 합니다. 그래야 나의 자리와 나의 마음가짐을 온전하게 알 수 있습니다.

나누고 싶은 마음밥상 ∞ 홑잎밥

음력 삼월 즈음이 되면 화살나무 가지 끝자락에 홑잎이 봄빛을 머금고 연초록 잎으로 올라옵니다. 이때 가장 부드럽고 연한 새순을 따서 홑잎밥을 짓습니다. 일 년 중에 유일하게 봄에만 올릴 수 있는 공양입니다.

다정한 마음이 채운 한 그릇

불영사는 부도탑 주변으로 홑잎들이 많이 널려 있는데, 잎이 벌어지기 전에 서둘러 홑잎 채취 울력을 나서야 합니다. 이 시기를 놓치면 밤사이 고라니 가족들이 산에서 내려와 순식간에 먹어치우기 때문입니다. 부지런한 대중의 노력이 있어야만 만날 수 있는 봄의 맛입니다.

홑잎 데친 물을 식혀서 밥물을 잡으면 색과 향이 유지됩니다. 잎이 연하고 부드러우니 오래 데치지 않도록 주의하고, 담백한 맛을 좋아하면 버무릴 때 참기름은 빼도 됩니다.

나의 기도는
얼마나 간절한가

인생은 가파른 산을 오르는 것과 같고 거센 파랑을 헤치고 바다를 건너는 것과 같습니다. 산을 오를 때는 굳센 의지가 있어야 하고, 파랑을 헤치고 바다를 건널 때는 지혜와 용기가 있어야 가고자 하는 목적지에 도달할 수 있습니다.

아침 이슬 풀잎마다 은구슬을 품었구나
맑은 바람 오죽숲에 소리 없이 쉬어가네
고요적적 불영지에 연꽃 세계 피어나고
청풍납자 포행하며 온갖 번뇌 내려놓네

여름 안거 정진 중에 고요한 산사의 풍광 따라 고요해진

다정한 마음이 채운 한 그릇

마음을 돌아보았습니다. 안개비가 내리니 더욱 몸이 낮추어지고 마음도 고요해집니다.

정갈한 마음에는 욕심이나 다른 욕망이 끼어들 틈이 없습니다. 충분히 지금 이대로 좋습니다. 욕심을 비우고 집착하지 않을 때 자유롭고 풍요로운 인생이 열리는 것처럼, 굳센 의지와 지혜로 욕망과 욕심을 절제함으로써 우리의 인생도 더 아름답고 가치 있는 것으로 바뀌게 됩니다.

이 시점에서 가장 중요하고도 필요한 것이 '간절함'입니다. 경건하게 자기를 돌아보고 성찰하는 것이 '간절함'이며 '기도하는 삶'입니다. 그래서 옛사람들은 기도할 때 먼저 몸과 마음을 정갈히 했습니다. 목욕재계하고 깨끗한 옷으로 갈아입고 음식도 가려 먹고 부정 탈 수 있다며 궂은일도 하지 않았습니다.

그런데 오늘을 살아가는 우리에겐 이러한 간절함과 지극함이 없습니다. 기도할 때도 '무언가를 이루게 해주세요'라거나 '무엇이 되게 해주세요'라는 욕심이 가득합니다. 기도하는 마음은 나를 돌아보며 욕심과 욕망을 내려놓는 것에서 출발해야 합니다. 자기를 돌아보고 뉘우치는 참회를 할 때 간절한 마음이 일어나고, 지극한 정성으로 발원하고 노력하는 과정을 거쳐야 비로소 무언가를 성취할 수 있습니다.

기도를 마음을 닦는 수행이라고 하는 것도 이런 까닭입니다. 스스로 마음을 맑고 밝고 건강하게 다스리면서 경건하게 성찰하면 우리 인생도 긍정적으로 바뀔 수 있습니다. 다시 말해 욕심을 내려놓고 간절해지면 우리의 기도에 영험의 에너지가, 발원의 에너지가 깃들게 됩니다. 요행을 바라거나 누구의 힘을 빌려서 이루기보다는 나 스스로 이루기 위해 노력하게 됩니다. 그리하여 있는 그대로를 볼 줄 아는 눈을 얻게 됩니다.

나누고 싶은 마음밥상 ∞ 쑥버무리

세상이 온통 초록으로 물들었습니다. 무상한 것을 항상한 것으로, 무아를 자아로, 괴로움을 행복으로, 더러운 것을 깨끗한 것으로 인식함으로써 우리는 고통의 바다에서 헤어나올 수 있습니다.

아직 물들지 않은 마음은 물들이기 쉽지만 잘못 물들어버린 사고는 올바른 방향으로 물들이기가 쉽지 않아서 다시 그만큼의 고통을 겪어야만 합니다. 그래서 우리가 가장 중요하게 여겨야

다정한 마음이 채운 한 그릇

할 마음이 초발심初發心인 것입니다.

쑥은 단오 이전에라야 약이 된다고 합니다. 절에서는 단옷날 이전에 쑥국과 쑥전, 쑥겉절이, 쑥튀김, 쑥즙으로 봄이 왔음을 알립니다.

오늘은 어제 캐온 쑥이 양이 제법 많아 어렸을 적 먹은 쑥버무리(쑥털털이)를 해보기로 합니다. 이른 봄의 쑥이라 그런지 찜솥에서 쑥 향이 진하게 배어 나옵니다.

좋은
생각

살아가는 데 가장 중요한 것은 건강입니다. 건강하게 사는 길은 무엇보다도 세상의 주인공으로 살아가는 것입니다. 드라마나 영화 속 주인공이 아닌 내 인생의 참 주인공으로 살아야 세상을 바르게 볼 수 있는 힘과 여유가 생깁니다. 세상의 중심은 바로 '나'이기 때문입니다.

그렇다고 이 말을 오해해서 '자기중심의 세상'을 고집하며 '아만의 마음'을 가져서는 안 됩니다. 세상의 모든 것은 나와 연관되어 있으니, 그러한 실상을 바로 보아야 한다는 의미입니다.

지금부터 '나는 이 세상의 주인공이다'라고 생각합시다. 아침에 떠오르는 태양도 나를 위해 떠오르는 것이고, 노을이

　　　　　　　　　　　다정한 마음이 채운 한 그릇

지고 밤이 오는 것도, 세상이 아름다운 것도 나를 위한 것이라고 말입니다. 이 모든 일체의 것이 나와 함께 실상으로 존재하는 것도 내가 숨 쉬고 있기 때문입니다. 아름다운 세상을 볼 수 있는 것도, 따뜻한 세상을 느낄 수 있는 것도, 슬퍼하고 괴로워하는 것도 내가 이 세상에 존재하기 때문에 일어나는 일들입니다.

중국 당나라 때 고승 장사長沙 스님이 어느 날 산놀이를 하고 돌아와 노래한 선시를 한 편 소개합니다.

> 대지가 가는 티끌마저 끊어지니
> 누가 눈이 열리지 않겠는가
> 처음 향기로운 풀을 따라갔다가
> 다시 떨어진 꽃잎을 따라 돌아온다
> 파리한 학은 차가운 나무에 발돋움하고
> 깊은 휘파람은 옛 누대에 뛰어노네
> 장사의 무한한 뜻이여
> 아! 땅을 파고 더욱 깊이 묻는다

산놀이를 갔을 뿐 다른 이유가 없어 보입니다. 그저 봄 길 따라 나섰다가 봄꽃 따라 돌아왔을 뿐이니 굳이 다른 설명이 필요치 않습니다. 하루하루를 이와 같이 복잡하지 않고 간단하고 가볍게 살았으면 좋겠습니다.

어느 방송 프로그램에서 두 개의 통에 밥을 넣고 각각 '고맙습니다'와 '짜증 나'를 써 붙였답니다. 그리고 '고맙습니다'가 붙은 통에는 긍정의 언어를, '짜증 나'가 붙은 통에는 부정의 언어를 계속 들려주었다네요. 한 달 뒤 '고맙습니다'가 붙은 밥통에는 구수한 곰팡이가 피고, '짜증 나'가 붙은 밥통의 밥은 썩었다고 합니다.

이처럼 긍정적인 생각과 언어는 우리 몸의 세포를 깨워 몸을 살리는 반면, 부정적인 생각과 언어는 몸의 체액을 탁하게 하여 건강을 해치게 만듭니다. 이것은 자신의 몸과 마음에도 좋지 않을뿐더러 상대방에게도 큰 상처를 줍니다.

세상에서 가장 빠른 것은 빛이라 하지만, 생각은 빛보다 더 빨라서 생각을 일으킴과 동시에 바로 스며듭니다. 이제부터는 부정적인 생각이나 언어는 마음에서 지워버리고 긍정적인 생각, 좋은 말만 사용하도록 합시다.

다정한 마음이 채운 한 그릇

나누고 싶은 마음밥상 ∞ 깍두기

우주 만물의 기운이 우리 몸과 입맛에도 변화를 부르는 봄이 오면 묵은 김치는 잠시 밀어두고 아삭한 무로 김치를 담급니다. 《본초강목》에 따르면, 무는 소화가 잘되고 가래를 잦아들게 하며 당뇨와 이질을 치료하고 목 아플 때 무 조청을 먹으면 약효가 뛰어나다고 합니다.

햇무로 네모 반듯이 깍둑 썰어 양념을 넣고 버무려 만든 깍두기는 스님들의 가지런하고 반듯한 일상을 고스란히 담고 있는 것 같습니다. 옷가지 하나, 신발 하나 벗어두는 것도 수행하는 마음과 달리하지 않으니 말입니다.

특히 봄 깍두기를 담글 때 미나리를 넣으면 향과 색이 산뜻해집니다. 이때 고춧가루보다는 홍고추를 사용하면 맛이 시원하고 깔끔합니다.

부족한 것은
없다

인간의 본래 성품은 어떠한 모습일까요?

인의仁義의 왕도정치를 주장한 유학자 맹자孟子는 인간의 본성에 대하여 이렇게 말했습니다. "인간의 선한 본성은 남의 불행을 보고 불쌍히 여기고 측은하게 생각하는 측은지심惻隱之心, 자기의 잘못을 부끄러워하고 악을 미워하는 수오지심羞惡之心, 겸손하고 양보하는 마음인 사양지심辭讓之心, 옳고 그른 것을 분별하는 시비지심是非之心의 형태를 띠고 있다."

이러한 맹자의 성선설性善說에 대하여 순자荀子는, "사람의 타고난 본성은 악하다"는 성악설性惡說을 주장하였습니다.

그러나 부처님은 "인간의 본성은 선도 악도 아니다. 모든 생명 있는 존재들은 불성이 있어 누구나 깨달음을 얻을 수

다정한 마음이 채운 한 그릇

있다"고 했습니다. 즉, 인간의 본래 성품은 선하거나 악한 것이 아니라 한마음 미혹하면 중생의 삶이고, 한마음 깨치면 부처의 삶이라는 것입니다.

고정불변의 실체로서 '나라는 존재는 없다'고 하는 '무아無我'와 '모든 존재는 끊임없이 변한다'고 하는 '무상無常'의 진리가 이것에 대해 대답해주고 있습니다.

> 욕망의 불은 스스로를 태운다. 부귀 속에서 성장한 사람은 욕심이 성난 불길 같고, 권세가 사나운 불꽃 같다. 만일 조금이라도 맑고 서늘한 기운이 없으면 그 불꽃이 남을 태우는 데까지는 이르지 않을지라도 반드시 스스로를 태우리라.

세상을 살아가는 처세와 종교의 가르침을 담은 《채근담菜根譚》에 나오는 말입니다. 욕망의 불은 자기 자신을 태우기 때문에 스스로 제어하고 다스릴 수 있어야 합니다. 인자하고 어진 사람은 화합하여 근심 걱정이 없고, 지혜로운 사람은 어떤 상황이든 미혹되지 않으며, 용기가 있고 의리 있는 사람은 어떤 것에도 두려움이 없습니다.

그렇다면 일상에서 어떻게 해야 어질고 지혜로우며 용

기가 있어 걱정이 없고 미혹되지 않으며 두려움이 없어질까요?

우리가 살아가는 이 우주는 성주괴공成住壞空의 이치에서 결코 벗어날 수 없으며, 우리 몸은 생로병사를 거스를 수 없습니다. 그래서 부처님은 '인생은 무상하다'고 하여, 그 어떤 것도 영원하지 않음을 강설하셨습니다.

무상의 이치를 바로 안다면 시간에 쫓기는 일도 없고, 탐욕으로 인해 남의 것을 훔치거나 사기를 치거나 거짓된 행위도 하지 않을 것입니다. 그리하여 어질고 지혜롭고 용기 있는 사람이 될 수 있습니다.

재물이 부족할 수는 있어도 풍요로움은 부족하지 않습니다. 열려 있고 깨어 있음이 부족할 수는 있어도 깨달음이 부족하지는 않습니다. 부족하고 모자라다는 것은 관념일 뿐, 사실은 부족한 것이 하나도 없습니다.

나누고 싶은 마음밥상 ∞ 사찰여름김치

부처바위가 그대로 비치는 불영사 연못 안이 어리연과 수련으로

　　　　　　　　　　다정한 마음이 채운 한 그릇

가득 차 꽃빛을 발하면, 불영사의 여름은 더욱 아름답기만 합니다. 한쪽 텃밭에서 잘 자라고 있는 채소는 수분을 듬뿍 머금고 초록의 신선하고 상큼함으로 나풀거리며 보는 이의 발길을 멈추고 더위를 잊게 해줍니다.

여름 채소는 된장, 쌈장, 양념장 등 몇 가지 양념만으로도 정갈한 음식이 됩니다. 그대로 무쳐서 상에 올리면 한여름을 나기에 부족함이 없습니다. 그중에서도 김치는 단연 으뜸이고 기본이라 할 수 있겠습니다. 쑥갓, 상추, 총각무, 배추 등 여름 밑 풍성한 채소들로 부지런히 여름김치를 담가봅니다.

물의
가르침

물은 사람이 살아가는 데 없어서는 안 되는 생명과도 같은 것입니다. 깨끗한 물을 마시기 위해서는 환경이 오염되지 않도록 모두가 함께 노력해야 합니다. 공기와 마찬가지로 우리는 물의 소중함을 잘 모릅니다. 언제나 구할 수 있다는 생각과 심각하게 부족한 상황을 겪어보지 않았기 때문에 물과 공기를 오염시키는 일을 서슴없이 저지르고 있습니다.

절집에서는 절약이 습관처럼 곳곳에 배어 있습니다. 흘러가는 물도 아껴 쓰고 배춧잎 하나도 떠내려가지 않도록 하는 엄격한 가르침 덕분입니다.

발우공양을 할 때도 발우 씻은 물을 깨끗한 상태로 내보내도록 하는 계율이 있습니다. 아귀 중생들을 위해서라고는

다정한 마음이 채운 한 그릇

하지만, 이 역시 음식에 대한 소중함, 물에 대한 고마움을 생각하게 하는 가르침입니다. 이러한 발우공양의 정신은 절 안팎에서 밥을 비우고 김치 조각으로 그릇을 깨끗이 닦아 마시는 습관으로 남아 있습니다.

그렇다면 우리는 물을 통해 어떤 것을 배울 수 있을까요? 물은 우리에게 참으로 많은 이로움을 주는데, 그 가운데 열 가지 덕으로 정리해보았습니다.

하나, 낮은 곳을 찾아 흐르는 겸손

둘, 막히면 돌아갈 줄 아는 지혜

셋, 어떤 그릇에나 담기는 융통성

넷, 구정물도 받아주는 포용력

다섯, 바위도 뚫어내는 인내와 끈기

여섯, 흐르고 흘러 바다에 이르는 대의

일곱, 거스르거나 역행하는 법이 없는 여일함

여덟, 모든 생물의 생명을 살리는 보시

아홉, 사람의 생명을 보존, 보호, 성장케 하는 인류애

열, 만물의 생명을 도와 살리는 생명력

물의 성질과 원리를 통해 우리는 삶을 풍성하게 만들 수

있습니다. 지금 내가 안 풀리는 일이 있다면 가만히 앉아서 물을 떠올려보십시오. 물은 만물의 생명을 살리고도 생색내지 않습니다. 절약하고 절제함은 복을 기르게 하고, 겸손하고 친절함은 덕을 기르게 합니다. 복은 생명을 살리고, 덕은 사람들의 존경을 받게 합니다.

그런데 우리는 아무런 노력도 하지 않고 그저 복과 덕이 생기기를 바랍니다. 또 그것을 바라는 마음으로 부처님을 찾습니다. 혹 이런 고약한 심보를 가지고 우리가 존경하는 부처님을 자기 수준으로 끌어내리고 있지는 않은지, 스스로 돌아보는 시간을 가져봅시다.

나누고 싶은 마음밥상 ∞ 은행

불영사 경내에 들어서면 법당 가는 길 오른쪽으로 큰 은행나무가 눈에 들어옵니다. 태풍에 중간이 잘리어 그 우람함이 줄어들긴 했지만, 다행히 치료를 잘 받아 열매도 제법 많이 열리고 잎도 무성합니다.

은행나무는 불에 잘 타지 않고 병충해에 강해 천년을 넘게 살

다정한 마음이 채운 한 그릇

며, 은행 열매는 맛과 향이 뛰어나고 영양이 풍부하여 여러 음식의 재료로 이용됩니다. 은행나무의 껍질과 뿌리는 약용으로 쓰이며, 은행잎은 천연 혈액순환 촉진제로 치매나 뇌 기능 개선제로 사용됩니다.

특히 은행 열매는 폐결핵 환자나 천식 환자가 복용하면 기침에 좋고 가래를 잦아들게 하는 효과가 있습니다. 하지만 날것은 중독성이 있으므로 반드시 조리해서 하루 7알 이하로 먹는 것이 좋습니다.

오후
불식

부처님은 적게 먹어 몸과 마음의 건강을 돕고, 맑고 건강한 에너지로 생명 있는 존재들에게 끊임없이 지혜와 자비의 마음을 보내야 한다고 당부했습니다. 소식小食의 이로움은 현대 의학에서도 꾸준히 연구되고 있으며, 칼로리 섭취를 줄이는 것이 건강하게 노후를 보낼 수 있는 몸을 만든다는 연구 결과도 있습니다.

어떤 음식을 어떻게 먹느냐에 따라 그 사람의 건강뿐만 아니라 성품도 긍정적으로 바뀔 수 있습니다. 내가 먹는 음식이나 습관에 따라 내 삶이 변하기에 음식이 삶을 바꾸고 성품을 만든다 해도 과언은 아니며 매우 자연스러운 이치라 할 것입니다.

다정한 마음이 채운 한 그릇

부처님 재세 당시 코살라국의 파세나디 왕은 평소 과식을 즐겼습니다. 이에 부처님은 "언제나 마음챙김을 하고 스스로 식사량을 헤아려서 적당히 먹는 사람은 괴로움이 줄고 목숨을 보존하여 더디 늙어가리라"고 하셨습니다.

이 말을 들은 파세나디 왕은 부처님의 뜻을 바로 알아차리고 식사 때마다 게송을 읊으며 부처님의 말씀을 실천하였습니다. 음식에 대한 집착과 욕심을 끊는 것이야말로 우리 삶을 더욱 건강하고 아름답게 하는 첫걸음입니다.

서산 능선에 붉은 해 지니
해그림자 길게 드리우고
천축산 숲은 산새를 품고
불영 도량은 달빛을 품네

여름 더위는 머물지 않고
가을바람은 소리가 없네
바뀌는 계절 막지 못하고
가을 향연에 온 산천 물드네

불영사의 가을 아침이 고즈넉합니다. 온 산천이 가을 단

풍으로 물들고 있습니다. 불영사에서는 아침 6시에 공양을 합니다. 아침 공양으로는 흰죽을 먹습니다. 그리고 오전 11시 점심 공양을 들고 저녁은 먹지 않습니다.

아침에 흰죽을 먹으면 공복감을 없애주고, 목마름을 풀어주고, 소화를 촉진시켜 대소변을 잘 조절할 수 있습니다. 안색을 좋게 하고, 음성이 맑아지며, 힘이 넘쳐 즐거워집니다. 또 감기에도 잘 걸리지 않습니다. 배고픔만 살짝 가신 상태, 또는 약간 배고픈 상태는 자신의 호흡과 마음을 깨어 있게 합니다. 몸이 가벼워지면 삶에 활력이 생깁니다.

혹시 배가 부르도록 먹고는 숨쉬기 힘들다, 괴롭다 하면서 후회한 적은 없으신가요? 건강은 적게 먹는 습관에서 시작됩니다.

나누고 싶은 마음밥상 ∞ 복숭아절임

후원 옆에 자리 잡은 느티나무는 600년이 넘는 오랜 시간을 자연이 베푸는 것만 고스란히 받으며 한자리를 지키고 서 있습니다. 느티나무를 보면서 항상 겸손함을 잃지 않겠다는 마음을 챙

다정한 마음이 채운 한 그릇

깁니다. 그러면 저절로 나의 행복과 우주의 평화가 둘이 아님을 알게 됩니다.

입추가 지나는 길목 텃밭에는 가지와 깻잎, 복숭아와 토마토가 풍성합니다. 한꺼번에 많은 양을 수확해야 한다면 잘 썰어 말린 후 간장, 된장, 고추장 등을 이용해 장아찌를 담아 오랫동안 두고 밑반찬으로 먹으면 좋습니다.

오늘은 딱딱한 복숭아를 골라 소금에 절여 양념을 넣고 복숭아절임을 만들어봅니다. 복숭아라는 재료가 빚어낸 새로운 맛과 오래된 기억을 함께 느끼게 해줄 것입니다.

기다림은
성찰의 시간

겨울 찬바람에 한껏 웅크린 검은 산빛은 그대로 아름답습니다. 여름의 푸른 산빛과 가을의 붉은 산빛처럼 겨울의 검은 산빛도 내가 마주한 나의 인생입니다.

살아 있는 것들이 겨울을 준비하듯, 흙과 돌과 바람도 겨울을 준비한다고 합니다. 산속에 엎드린 도량의 전각들도 겨울을 맞이하고 있습니다. 기분이 좋은 상황에선 동시에 나쁜 생각을 할 수 없습니다. 왜 그럴까요? 지금 이 순간 좋은 생각을 하고 있기 때문입니다.

내 인생에서 내가 무엇을 원하는지 확실하게 아는 것은 매우 중요합니다. 내가 지금 무엇을 원하고 있는지, 행복한 삶을 살아가고 있는지 제대로 알아야 그것을 행동으로 옮길

다정한 마음이 채운 한 그릇

수 있습니다.

그런데 우리는 남들이 그렇게 사니까 나도 그렇게 따라가는 경우가 너무나도 많습니다. 내 인생은 나 스스로 만들어가는 것입니다. 내가 정확하게 판단하고 결정해야 각자가 원하는 방향으로 삶을 만들어갈 수 있습니다.

부처님은 "우주의 주인은 생명의 실상, 즉 마음이다"라고 말씀하셨습니다. 우리 내면의 진정한 행복이 내 삶의 성공을 이끌 수 있는 열쇠입니다. 원을 세우면 어떤 방법으로든 지금 현실에서 반드시 성취할 수 있습니다. 다만 자신의 마음을 믿고 남을 이롭게 하기 위해 크고 밝은 원을 세우는 것이 중요합니다.

'기다림'이라는 말은 나에게 성찰하는 시간을 만들어줍니다. 기다림은 나를 잠시 머무르게 하고 나아가게 하는 성장의 동력입니다. 어떤 일이나 상황에서도 때와 기회는 오게되어 있습니다. 때를 기다리지 못하고 마음만 조급해하면 기회를 놓치기 십상입니다.

한파의 인고를 겪어낸 매화의 꽃향기가 더욱 진한 것과 같이, 겨울은 삶을 풍요롭게 하는 가르침을 우리에게 일러줍니다. 끝나지 않을 것 같은 어둠은 아침이 오면 사라지고, 차가운 바람에 몸서리쳐도 봄은 느리지만 차가운 바람을 끝내 따스한 볕으로 녹여냅니다.

지금 겪고 있는 나의 고통과 괴로움은 끝이 없을 것 같지만, 부지런히 정진하면서 복덕을 쌓으면 분명 행복이 찾아옵니다. 정진하고 복덕을 쌓아도 지금 당장 행복이 오지 않는다고 포기한다면 우리는 결코 행복을 맞이할 수 없습니다.

비록 지금은 춥고 어둡지만 기다림이 필요합니다. 때가 되면 꽃이 피고 열매를 맺듯이, 때가 되어 피는 꽃은 그 향기가 더욱 깊고 아름다운 법입니다.

나누고 싶은 마음밥상 ∞ 단호박죽

낮에는 곡식과 과실이 익어가기에 좋은 햇살이 쏟아지고, 밤에는 제법 찬기가 도는 바람이 문틈 사이를 비집고 들어와 코끝을 시리게 합니다. 더위가 물러가고 찬바람이 느껴지는 계절이면 단호박이 더욱 달고 부드러워집니다.

껍질째 먹을 수 있는 단호박은 공기 중에 오래 두면 색이 누렇게 변하므로 냉장 보관을 해두었다가 조림이나 찜, 튀김, 전 등에 사용해도 됩니다. 특히 껍질째 찌면 부드럽고 담백한 맛이 죽

다정한 마음이 채운 한 그릇

과 곁들이거나 채소와 함께 샐러드로 간단한 아침상에 올리기에도 좋습니다.

오래 둘수록 더욱 달고 부드러워지는 단호박죽은 오장을 편안하게 하고 몸을 따뜻하게 해주며, 눈을 밝게 하고 부기를 내리는 데에도 그만입니다.

어머니의
마음

사람은 태어나서 맨 처음 부모를 만나고, 자라면서 친구를 만나고, 성장하면서 사랑하는 사람을 만납니다. 누구를 만나느냐에 따라 우리의 삶도 달라집니다. 서로가 연관되어 있기 때문입니다. 모든 것은 인연에 의하여 만나고 헤어지기에 소중하지 않은 인연이란 없습니다.

좋은 인연이든 나쁜 인연이든 나와의 관계에서 만난 인연들을 좋은 인연으로 만들어가는 것은 우리들 각자의 몫입니다. 상대를 미워하고 원망하기보다 더 큰 사랑으로 키워간다면 나도 행복해지고 상대도 행복할 수 있습니다.

부모, 형제, 동료, 연인을 자기 마음에 들지 않는다고 미워하고 욕한다면, 결국 나는 그런 사람의 자식이고 형제이고

다정한 마음이 채운 한 그릇

동료이고 연인이 되는 셈입니다. 자신의 전부를 부정하는 꼴이 되고 맙니다. 따라서 나와 인연 맺은 모든 사람을 좋은 인연으로 정리한다면 나의 삶 전체가 행복하고 풍요로워질 것입니다.

석가모니 부처님의 어머니 마야 부인은 고타마 싯다르타를 잉태하자 아이를 위해서 남편 슈도다나 왕에게 이렇게 청합니다.

제 몸을 사랑하듯 중생들을 해치지 않기를 바라옵니다. 몸과 말과 뜻으로 열 가지 선을 닦고 익혀 시샘하고 간사한 마음을 멀리 여의옵소서. 바라옵건대 대왕께서는 부디 욕정을 거두시고 저를 따로 살게 하시고 궁전을 꽃과 향으로 꾸며주시옵소서. 그리고 모든 죄인을 용서하여 감옥이 텅 빌 수 있도록 하시고 이레 낮, 이레 밤 보시를 베풀어 가난한 이를 구제하시옵소서.

이 글은 《방광대장엄경方廣大莊嚴經》에 나오는 내용입니다. 아이와 인연 맺을 준비를 하는 어머니의 서원이고 진정한 태교입니다. 이러한 어머니의 마음은 태아에게 그대로 전달된다고 합니다. 말을 해서 그 뜻이 전달되는 것이 아니라 어머니의 마음이 그대로 마음으로 전달되기 때문입니다.

"오는 것을 막지 말고 가는 것을 붙잡지 말라."

이 말은 절집에서 자주 사용하는 문구입니다. 올 것은 오게 하고, 갈 것은 가게 하라는 의미입니다. 모든 것은 인연에 따라 이루어지기에 인연이 없으면 아무리 좋은 사람이라 할지라도 만나지 못하고, 인연이 있으면 아무리 원수라도 만나게 될 것입니다.

이러한 인연 연기의 법칙은 누구라도 예외가 없습니다. 그러니 훌륭한 인연은 지금 바로 이 순간에 만들 수 있도록 노력해야 합니다. 연기의 법칙을 바로 이해하고 지혜롭게 대처하면 원망이나 미움이 생기지 않습니다. 인연으로 만난 사람을 원망과 미움으로 대한다면 고통과 괴로움은 끊임없이 반복해서 일어날 것입니다.

살아가면서 가장 큰 재앙은 남을 미워하고 원망하는 것이고, 반대로 가장 큰 축복은 자비심을 일으키는 것입니다. 내 삶은 내가 만들어가는 것이기 때문에 새로운 삶의 반전 또한 만날 수 있습니다. 그것이 희망입니다.

다정한 마음이 채운 한 그릇

나누고 싶은 마음밥상 ∞ 가마솥미역국

고포 미역은 불영사가 위치한 울진 나곡의 고포 마을에서 생산 되는 돌미역으로, 품질이 우수한 울진 특산물 중 하나입니다. 얕은 수심에서 햇빛을 받고 자라 검푸르고 두툼한 것이 특징인 데, 고려시대에는 궁중에서나 맛볼 수 있는 귀한 재료였다고 합 니다.

미역에는 요오드 성분이 많아 혈액을 보충하고 혈액을 맑게 해 주기 때문에 예로부터 출산한 산모들이 너나없이 먹었습니다. 어찌 보면 미역국은 생일을 맞은 사람이 먹을 것이 아니라 자식 을 낳은 어머니가 먹어야 하는 게 맞는 거지요. 이렇듯 생일은 나를 위한 날이기보다는 어머니를 위한 날이라는 것을 잊어서는 안 되겠습니다.

가마솥에 뭉근히 미역국을 끓이면서 잠시 어머니를 떠올려봅니 다. 내 입에 들어가는 것보다 자식 먹이는 것이 우선이었고, 당신 보다는 자식을 늘 먼저 생각했던 이 땅의 모든 어머니는 수행자 요 보살입니다.

3
비
우
다

천축 오월 산빛은 나날이 푸르고
푸른 산빛 새들은 기뻐하고 노래하네
청향헌 앞뜰에는 청매실 익어가고
서산에는 해지고 동산에는 물 흐르네

아침 이슬 풀잎마다 은구슬을 품었구나
맑은 바람 오죽숲에 소리 없이 쉬어가네
고요적적 불영지에 연꽃 세계 피어나고
청풍납자 포행하며 온갖 번뇌 내려놓네

마음을 비우고
몸을 비우고

산사의 겨울 아침이 따뜻합니다.
올해는 마음을 비우고 몸을 비우는 수행으로
하루하루를 좋은 날로 만들어야겠습니다.
마음을 비우면 몸에 집중할 수 있고
몸을 비우면 마음이 가벼워지며
삶의 열정이 되살아납니다.

사람의 위는 본래 주먹만 한 크기인데
음식으로 인해 늘어나고
늘어난 만큼 채워지기를 원합니다.
음식으로 인해 노화가 촉진되고

과식으로 무기력해지고 집중력이 떨어집니다.

그것보다 더 무서운 것은
음식에 집착하는 마음입니다.
좋아하는 음식이라고 하여 너무 많이 먹거나
늦은 밤 음식을 챙겨 먹는 것도
음식에 대한 집착입니다.

집착하면 무서운 과보를 받습니다.
어떠한 것에도 집착하지 않고
지혜로운 마음으로 살아야 합니다.
마음을 비워 집착의 끈을 놓으면
몸을 비우고 건강을 다스릴 수 있습니다.

음식을 먹을 때는 오래 씹어야 하고
균형 잡힌 식단으로 소식해야 합니다.
소식은 적게 먹는다는 뜻과
소박하게 먹는다는 뜻을 함께 갖고 있습니다.

우리 몸은 정직합니다.

다정한 마음이 채운 한 그릇

건강을 다스리는 것은

누가 대신해 줄 수 없습니다.

나누고 싶은 마음밥상 ∞ 시래기밥

매년 음력 10월이 되면 텃밭에서 무를 뽑아 다듬어 겨울 안거를
준비합니다. 무는 잘 가려서 김장, 동치미, 장아찌, 반찬 등으로
사용하고, 무청은 억센 것과 여린 것을 나눠 새끼줄에 엮어 갈무
리합니다.

여린 잎은 간장을 달여 장아찌를 담그고, 새파랗고 싱싱한 굵은
무청은 늦가을 바람이 잘 드는 곳에 걸어 겨우내 말립니다. 이것
이 시래기입니다. 푹 삶은 시래로 밥을 지으면 부드러우면서도
건강한 나물밥이 됩니다.

무는 뿌리와 잎을 모두 내어줍니다. 그리고 이것으로 우리는 속
을 더욱 비울 수 있습니다. 섬유질이 풍부하고 소화효소가 많아
몸을 비우는 데 큰 역할을 하기 때문입니다. 그래서 동안거를
지내는 스님들이 좋아하는 음식이기도 합니다.

허상과 자기 가치를
동일시하고 있다면

황사와 미세먼지 그리고 각종 자연재해 등 예측불허의 자연환경 변화들이 우리의 건강을 위협하고 있습니다. 하지만 늘 반복되는 재해와 맞닥뜨리다 보니 예방의 중요성을 알면서도 이내 무뎌지고 맙니다. 이와 마찬가지로 사람들은 병을 얻거나 기력이 없으면 먹는 것이 얼마나 중요한지 깨닫다가, 조금만 건강하다 싶으면 이내 잊어버리고 맙니다.

수없이 반복해도 모자라지 않을 건강에 대한 예방책을 꼽으라고 하면 '육식의 절제, 채식과 소식'이라고 말하고 싶습니다. 식생활의 작은 습관 하나가 나비효과처럼 인류에 큰 재앙을 불러올 수도 있고, 그 반대의 결과를 가져올 수도 있기 때문입니다.

다정한 마음이 채운 한 그릇

단적인 예로, 인간이 육식을 하면 가축의 대량 소비를 위해 축사를 더 지어야 하고, 사육에 필요한 사료 공급을 위해 아마존 열대림이 파괴되며, 가축의 배설물이 뿜어내는 메탄가스가 오존층을 파괴해 북극의 얼음을 녹게 만듭니다. 그로 인해 지구온난화를 빠르게 부추깁니다. 이보다 더 많은 악순환의 연결고리가 있지만, '육식의 절제, 채식, 소식' 이렇게 세 가지만이라도 잘 실천할 수 있었으면 좋겠습니다.

불교에서는 늘 '마음을 챙기라'는 말을 강조합니다. 마음에 관한 여러 연구 중에서 이해를 돕기 위한 방법으로 간혹 식품에 관한 '블라인드 테스트'(사전 정보를 주지 않고 식별하게 하는 것)를 진행하기도 합니다. 이를 통해 사람의 마음이 어떻게 작용하는지 확인하는 것이죠.

식품을 선정한 후 같은 조건에서 조리를 하고 똑같은 용기에 담아서 맛을 보라고 하면, 많은 사람이 평소 선택에서 크게 벗어나는 결과를 보고 깜짝 놀라는 경우가 많습니다. 이는 그만큼 순수한 재료보다는 마음 작용에 의해 결정하게 되는 포장이나 과대광고, 다수 의견, 브랜드 등에 높은 가치를 두고 비용을 지불하고 있다는 반증이기도 합니다.

이러한 연구 결과를 살펴보면 실로 각자의 기호인 입맛을 제외하면 사람들은 늘 허상이 덧씌워져 있는 물건을 구매하는 격이 됩니다. 제품에 대한 올바른 지식과 가치 기준 없이 허상이란 제품과 자기 가치를 동일시하며 착각 속에 살고 있는 것입니다. 비록 마음의 실체를 단적으로 표현한 예이긴 하지만 더 깊은 수렁으로 빠져들기 전에 하루빨리 깨어나야 합니다.

부처님께서는 깨끗한 마음과 청정한 복밭福田에 대해 늘 강조하셨습니다. 하늘에 태어나는 공덕, 애욕에 맛들임과 재앙, 벗어나는 길의 청정함, 번뇌를 깨끗이 사라지게 할 것을 말씀하시며 열어 보이셨습니다. 이러한 네 가지 진리를 보고 빈틈없는 무간등無間等(번뇌를 바르게 끊음)을 얻은 제자들에 의해 올바른 진리가 지금까지 전해지고 있습니다.

이제라도 생명 가치를 존중하고 현재를 건강하게 살며 대자연의 순리를 지켜나가 더 좋은 환경을 후세에 되돌려주어야겠다는 의식이 나로부터 깨어나야 합니다.

나누고 싶은 마음밥상 ∞ 두릅나물

불영사 계곡을 따라 굽이돌아 걷는 명상길은 이름 모를 꽃들과 풀과 나무들이 사계절을 한층 풍성하게 만들어줍니다. 중간쯤 걷다 나오는 가파른 경사길에서 가시 돋은 두릅나무와 엄나무 위로 새순이 보이는가 싶더니 이내 하루가 다르게 키가 자라고 잎을 펼칩니다.

단백질과 비타민이 풍부한 두릅과 엄나무 순(개두릅)은 봄 입맛을 돋우고 간을 보호하며 면역력을 키워주는 좋은 식재료입니다. 게다가 인삼과 같은 사포닌 성분을 함유하고 있어 몸의 혈액순환을 원활하게 하여 피로를 개선하는 데에도 그만입니다.

이렇게 귀한 나물이다 보니 스님들은 다양한 조리법을 활용하기보다 끓는 물에 데쳐서 나물 그대로 초장에 찍어서 먹는 걸 더 좋아합니다.

치유의
힘

우리 몸은 스스로 치유하는 힘을 가지고 있습니다. 상처가 나면 새살이 돋아나고 세균에 감염되면 면역계가 박테리아를 물리쳐 상처를 치료하는 것도 우리 몸의 면역체계 덕분입니다.

마음도 마찬가지입니다. 건강하고 긍정적인 사고로 매 순간 모든 이들에게 친절하게 대하면 그 사람의 몸에서는 질병 바이러스가 살아남지 못하고 마음이 아플 까닭이 없습니다.

그런데 우리는 "어떻게 이런 사람을 미워하지 않을 수 있어?" 하면서 스스로 집착하며 몸과 마음의 건강을 해칩니다. 상대를 미워하고 원망하고 분노하면서 스스로를 끊임없이

다정한 마음이 채운 한 그릇

괴롭힙니다.

긍정적 사고와 동기 부여의 대가인 밥 프록터Bob Proctor에 따르면, "우리 몸은 매 순간 수백만 개의 세포를 버리고 동시에 수백만 개를 만들어낸다"고 합니다. 모든 사람은 자기 자신을 바꿀 수 있고, 치유할 수 있는 힘을 저마다 가지고 있다는 것입니다. 밥 프록터의 말처럼 매 순간 우리 몸의 세포는 새롭게 생겨나고 죽어갑니다. 성장하고 변화하고 늙어가는 것입니다.

그렇다면 과연 우리는 어느 때의 몸을 '나'라고 규정할 수 있을까요?

내가 생각하는 나의 모습은 계속 바뀌고 있습니다. 새롭게 생겨난 세포들로 나의 몸은 새롭게 태어나고 있습니다. 그런데 우리는 '나의 몸'이라고 하는 변하지 않는 것이 있다고 확신하면서 거기에 집착합니다. 집착은 바르게 보는 눈을 가립니다.

이제부터 우리의 생각을 좋은 쪽으로 바꾸어보면 어떨까요? 그러면 치유하지 못할 질병은 없습니다.

'내 마음에는 질병이 존재하지 않는다. 그리고 내가 만들어가는 이 세상에서 질병과 고통은 결코 존재하지 않는다!'

이렇게 다짐하는 것도 병을 치유하는 데 도움이 됩니다.

자기 안에 치유의 힘이 내재되어 있다고 아무리 강조해도 사람들은 믿지 않습니다. 우리의 인생을 스스로 바꿀 수 있다고 해도 믿지 않습니다. 지금의 불행과 아픔은 곧 없어진다고 해도 믿지 않습니다.

혹 지금 당신도 이미 없어져버린 세포들로 구성된 '나의 죽은 몸'을 현재의 '나의 몸'이라고 집착하고 있지는 않은가요? 그 가르침을 알아차리는 순간 세상을 바라보는 당신의 눈도 달라질 것입니다.

나누고 싶은 마음밥상 ∞ 냉이밥

봄맛과 자연의 향기를 가득 품은 어린 냉이가 도량 곳곳에서 봄소식을 알립니다. 냉이는 양념해서 나물로 무치거나 된장을 풀어 국을 끓이는 것이 일반적이지만, 꽃이 피기 전 부드럽고 여린 냉이는 맛과 향이 그대로 살아 있어 별미로 냉이밥을 지어 먹으면 좋습니다.

예로부터 냉이 뿌리는 찧어서 안약으로도 사용했다고 하니 봄철 잊지 말고 챙겨야 할 채소 가운데 하나임이 분명합니다. 나른함

다정한 마음이 채운 한 그릇

에 입맛까지 되찾아주는 냉이를 조리할 때는 그 향이 잘 살아나도록 정성을 기울여봅니다.

냉이는 데쳐 무치거나 볶아서 나물밥에 사용하기도 하지만 여린 잎을 쓸 경우에는 마지막에 넣어야 향과 식감이 훨씬 살아납니다. 이때 잘게 썰기보다는 뿌리와 잎을 살려 밥을 짓는 것이 좋습니다.

겉치장에만
공들이지 말라

사람은 누구나 배가 고프면 먹어야 합니다. 나중에 못 먹을 것을 생각해서 더 먹거나 남겨두지 말고, 이전에 못 먹은 것에 대한 보상 심리로 더 먹거나 챙겨두지 말고 지금 딱 배고픈 만큼만 먹어야 합니다.

일상생활을 하기 힘들 정도로 먹지 않으면 어지럽고 짜증이 나고 무기력해집니다. 그러면 먼저 내가 괴롭고 다음은 내 주변에 있는 사람들이 괴롭습니다. 힘들어하고 무기력하게 있는 모습만으로도 옆 사람은 신경이 쓰입니다. 한발 더 나아가 짜증까지 낸다면 걷잡을 수가 없게 됩니다.

따라서 음식을 먹는 것은 내 마음이 괴로움으로 가지 않기 위함이고, 그 괴로움으로 인해 다른 사람까지 힘들게 하

다정한 마음이 채운 한 그릇

지 않기 위함입니다.

이때 세 끼를 잘 챙겨 먹다가 한 끼를 거른다고 못 참는 것은 단지 생각이 일으키는 배고픔이지 허기虛飢나 기아飢餓는 아닙니다. 내 몸이 지탱할 수 있고, 노동으로 인해 소비되는 양만큼 섭취하는 것을 지혜로써 아는 것이야말로 내 몸에 대해 잘 안다고 할 수 있습니다. '바른 식습관을 가졌다'고 하는 것은 바로 이것을 잘 아는 것입니다.

사람들이 비상 상황에 대비해 미리 식량을 구입하고 비축해두듯이, 음식을 먹을 때에도 비상 상황에 대비할 수 있을 만큼은 항시 몸속에 비축해두어야 합니다. 그리고 가끔은 단식으로 몸을 비움으로써 청소를 해야 합니다.

집 안 대청소를 일주일에 한 번씩 하거나 계절별로 하는 것은 가족들이 먼지 알레르기, 아토피, 진드기 등으로 발생할 수 있는 문제를 예방하기 위함입니다. 몸속에 쌓여 있는 불필요한 지방과 배출이 안 돼 남아 있는 음식 찌꺼기에서 나오는 독소를 제거하지 않은 채 계속 음식을 섭취하는 것은 집 청소를 전혀 하지 않은 채 살아가는 것과 같습니다.

몸속은 다스리지 않으면서 겉치장에만 공을 들이는 것은 새 차를 구입해서 광택만 내고 자랑거리로 삼는 것과 같습니다. 주기적으로 엔진도 괜찮은지 살피고 동력을 전달하는 기관들도 잘 살펴야 차가 제 속도로 달릴 수 있습니다. 차가 잘 가다가 고장이 나면 운전자가 안절부절못하듯, 몸에 병이 나면 마찬가지로 안절부절못합니다. 보이지 않는 곳을 점검하고 제대로 관리하는 것이 내 몸 건강을 잘 챙기는 비결입니다.

더불어서 나의 건강을 살피듯이 기아로 고생하는 사람들을 위해서도 마음을 내어보면 좋겠습니다. 이것은 남이 아닌 나에게 주는 최고의 선물입니다. 함께 나누는 것이야말로 그 무엇과도 바꿀 수 없는 최상의 선물입니다.

지구촌 곳곳에는 배고픔을 넘어 굶주림과 주위의 따뜻한 눈길에 목말라하는 이들이 너무나도 많습니다. 북한 동포들, 아프리카 어린이들, 세계 곳곳의 난민들은 우리가 음식을 남기거나 우리 몸속에 음식이 쌓여 있다는 생각조차 부끄러워하게 할 만큼 기아와 사투를 벌이며 살아가고 있습니다. 죽음에 대한 공포와 불안이 일상이 된 지 오래입니다.

밥 한 끼와 커피 한 잔을 나누는 보시의 마음으로 그들을 위해 나눔의 등을 달아 축복해주고 기부하는 삶을 살았으면 좋겠습니다. 이것이 자비 실천이며, 2500년 전 부처님께서 우리에게 친히 오셔서 일러주신 가르침입니다.

다정한 마음이 채운 한 그릇

나누고 싶은 마음밥상 ∞ 머윗대들깨볶음

불영사 도량의 후원 앞 텃밭에서 머위가 자라고 있습니다. 우리
지역에서는 머위보다 주로 '머구'로 불립니다. 따로 신경 써서 보
살피지 않아도 잘 크는 걸 보면 그 강인함이 농부의 아이 같습
니다.

머윗대는 깨끗이 손질한 후 삶아 헹궈서 겉껍질을 벗겨냅니다.
물기를 짠 후 적당한 길이로 잘라 소금으로 조물조물 간을 하
고, 달군 팬에 볶다가 채수를 자작하게 부어 부드럽게 볶아지면
곱게 간 들깻가루를 넣고 골고루 잘 섞습니다. 죽순이 있으면
함께 넣고 볶아도 좋고, 청홍고추를 넣어 칼칼한 맛을 더해도
좋습니다.

이것 또한
지나가리라

삼라만상의 모든 현상은 지금 이 순간에도 쉼 없이 바뀌고 있습니다. 인간의 마음 작용인 기쁨, 슬픔, 즐거움, 괴로움도 영원하거나 불변한 것은 없습니다. 순간순간 변화하기 때문에 그 어떠한 것에도 집착할 필요가 없습니다. 이 또한 지나가기에 기뻐할 일도 슬퍼할 일도 아닙니다.

폭염이 계속되고 있는 한여름에도 어김없이 절기의 변화는 찾아옵니다. 아무리 더운 여름이라도 이 또한 지나가는 것임을 알기에 지혜롭게 더위를 잘 이겨낼 수 있습니다. 한순간 마음 작용과 꼭 같습니다.

어느 날 다윗왕이 귀한 반지를 하나 갖고 싶었습니다.

그래서 반지 세공사를 불러 "나를 위한 아름다운 반지를 하나 만들어라. 다만 내가 승리로 기뻐할 때 교만하지 않게 하고 패배로 시련에 처했을 때 용기를 주는 글귀를 새겨 넣어라"하고 명했습니다.

세공사는 명령을 받들어 정성껏 반지를 만들었습니다. 반지를 만든 후 어떤 글귀를 넣을지 계속 생각했지만 좀처럼 다윗왕이 말한 두 가지 의미를 함께 지닌 좋은 글귀가 떠오르지 않았습니다. 고민하고 고민해도 마땅히 좋은 글귀가 떠오르지 않아 다윗의 아들이자 지혜의 왕인 솔로몬을 찾아갔습니다.

"왕자시여! 기쁠 때 교만하지 않고, 절망에 빠졌을 때 용기를 줄 수 있는 글귀에는 어떤 것이 있습니까?"

그러자 솔로몬이 잠시 생각하고 말했습니다.

"이것 또한 지나가리라!"

유대인들이 즐겨 읽는《미드라시Midrash》에 나오는 이야기입니다. 한여름이 지나면 아름다운 결실의 계절인 가을이 온다는 것은 우리 모두 알고 있는 자연의 이치입니다. 제아무리 무더위가 기승을 부려도 이 또한 지나가기 마련입니다.

무더위 속에서 설레는 마음으로 가을의 선선함을 떠올려

보세요. 폭염은 누그러들고 조금은 가을이 가까워졌음을 느끼게 될 것입니다.

태풍이 오면 큰 나무가 사라지고 새로운 나무와 풀이 자라납니다. 썩은 나뭇잎과 가지들은 자연으로 돌아가 다시 또 다른 생명을 만들어냅니다. 이제 태풍이 오고 내 삶에 더 큰 시련이 온다 하여도 이 또한 지나가는 것임을 우리는 잘 알기에 기쁜 마음으로 이 모든 현상을 받아들일 수 있습니다. 또 다른 내 삶에 희망을 기대하면서요.

지금 잘나간다고 우쭐대십니까?

'이것 또한 지나가리라.'

지금 너무 괴롭고 힘들고 슬퍼서 하루하루 살아가기가 힘드신가요?

'이것 또한 지나가리라.'

나누고 싶은 마음밥상 ∞ 감자전

일 년 중 가장 더운 중복 날이 되면 안거 중인 스님들이 모두 한자리에 모여 감자전을 부쳐 먹습니다. 그러면서 그간의 정진을 탁마하고 남은 기간 동안의 무사 회향을 발원합니다.

대중이 함께 산다는 건 하나가 모여 전부가 되고, 전부가 또 하나가 되는 것을 직접 경험하는 일과 같습니다. 초심자부터 어른 스님까지 다양한 세대가 모였으니 그만큼 서로 교류하면서 배우는 것들이 많습니다. 또한 그 다양함이 한 몸이 되어 일사불란하게 움직이게 해줍니다.

감자전이 노릇노릇 익어가면 스님들의 더위도 어느새 스르르 풀립니다.

흙으로
돌아가고

내가 없는 우주와 세상은 존재하지 않습니다. 내가 존재하기에 이 우주도 세상도 존재합니다. 본래 나와 우주가 둘이 아니고 세상과 나 또한 둘이 될 수 없습니다. 이 모든 삼라만상의 현상은 마음의 그림자임을 깨달아야 합니다.

천둥과 번개, 구름은
하늘에서 일어나 하늘로 사라지고
무지개와 안개, 저녁노을은
허공에서 나타나 허공으로 사라집니다.

꿀과 열매, 곡식은

다정한 마음이 채운 한 그릇

흙에서 생겨나 흙으로 돌아가고
꽃과 풀, 나뭇잎은
대지에서 자라나 다시 대지로 돌아갑니다.

물결과 소용돌이, 거센 파도는
바다에서 일어나 바다로 사라지고
삼라만상의 본질을 바라보는 자는
그것이 다만 마음의 그림자임을 깨닫게 됩니다.

티베트 불교의 성자 밀라레빠Milarepa(1040~1123)가 지은 《십만송十萬頌》에 나오는 아름다운 시입니다. 삶에는 거대한 흐름이 있습니다. 이 이치를 깨닫는 것은 참으로 중요합니다.

본래 좋고 나쁜 것은 없습니다. 좋은 것도 나쁜 것도 우리들의 참마음에는 아예 존재하지 않습니다. 매 순간 변화하는 현상에 좋고 나쁘다고 이름 붙여 집착하는 것은 참으로 부질없는 행위입니다.

일어날 일은 반드시 일어나고 사라질 일은 반드시 사라집니다. 모든 일은 잠시도 머물지 않고 다 지나갑니다. 오로지 살아 있는 지금 이 순간 이 존재만으로도 충분히 행복하고 감사한 일입니다.

세계적인 물리학자 알베르트 아인슈타인Albert Einstein (1879~1955)은 "상상은 삶의 핵심이자, 다가올 미래의 시사회다"라고 했습니다. 즉, 원하는 것을 상상하고 이루어진다고 믿는 그 자세가 중요하다는 뜻입니다.

어떠한 일이라도 자신감을 갖고 반드시 할 수 있다는 신념을 가지면 이루지 못할 일은 없습니다. 자신이 가진 대단한 힘을 믿지 않아서 이루지 못하는 것일 뿐 능력이 없는 것은 결코 아닙니다.

나의 참마음에 귀를 기울이고 흘러가는 일들에 집착하는 마음을 내려놓으세요. 행복은 지금 우리 눈앞에 있습니다.

나누고 싶은 마음밥상 ∞ 콩장조림

처음 콩장을 만들어보겠다고 했을 때, 그저 콩을 불린 뒤에 익혀서 조리면 되는 줄 알았습니다. 저녁에 콩 한 되를 담가놓고 나서 나중에 확인했을 때, 몇 배로 퉁퉁 불어 있는 콩을 발견하고 놀란 적이 있습니다.

다정한 마음이 채운 한 그릇

음식은 경험입니다. 만들고 싶은 대로, 먹고 싶은 대로 하기란 그리 쉽지 않습니다.

재료의 특징이나 영양을 미리 아는 것도 중요하지만, 반복하다 보면 거기서 터득되고 얻어지는 것이 있습니다. 삶도 마찬가지입니다. 경험을 통해 몇 배는 풍성해지니 말입니다.

마음의
평화

오늘도 폭염이 계속되고 있습니다. 이에 아랑곳없이 뻐꾸기
와 산새들은 여기저기서 울고, 매미 소리는 끊이질 않습니
다. 여름 해는 길고 숲속의 그림자도 여름 해만큼이나 길고
넓습니다.

시원한 계곡 물소리에 금강송 가지는 붉고 잎은 더 어둡
습니다. 안거 정진하는 스님들은 고요하기만 합니다. 물 한
방울 한 방울이 떨어지면서 마침내 돌을 뚫는 것과 같은 이
치로 우리의 공부도 지속되어야 합니다.

동쪽 계곡물 흐르고
천축산에 해 오르니

다정한 마음이 채운 한 그릇

이 산 저 산 붉어지고
금강송金剛松도 물들었네

산 숲에는 산새 울고
매미 소리 요란한데
선불장選佛場의 스님들은
안팎으로 고요하네

깊은 산중 절 마당에
여름 향기 익어가고
부처님의 그림자도
향기 따라 길어지네

책상머리에 글귀를 하나씩 붙여두고 마음에 경책을 합니다. 매일 보는 같은 글귀라도 자신의 성장에 따라 깨닫는 바가 다릅니다. 좋은 글귀나 진리의 말씀을 반복해서 읽고 또 읽으면서 나의 마음을 다잡고, 때로는 크고 작은 깨달음을 얻기도 합니다.

이미 알고 있는 지식이나 경험, 사회적인 도덕이나 윤리, 경전이나 계율 등은 우리가 행복해지는 길에는 큰 도움이 되지 않습니다.

그렇다고 모두 버릴 것도 아닙니다. 중요한 것은 우리가 가진 지식이나 경험, 도덕과 윤리로 자기 자신을 옭아매거나 특정한 틀에 가두지 않는 것입니다. 또 거기에 사로잡혀 진실의 눈을 가리지 않도록 늘 경계하는 일입니다.

지금 당신은 어떠한가요? 나의 참마음은 어떠한가요? 이 질문에 선뜻 답할 수 있으신가요? 모든 것을 내려놓고 있는 그대로 바라볼 수 있도록 연습을 해야 합니다. 그럴수록 마음의 평화는 내 안에서 점점 커질 것입니다.

나누고 싶은 마음밥상 ∞ 튀긴두부조림

맛있는 음식이란 어떤 음식일까요. 기본적으로 간이 맞아야 하고, 재료의 특성을 잘 살린 조리법이 되어야 할 것입니다. 다음으로 개개인의 입맛에 맞추는 것도 좋지만 건강에 이익이 되는가도 생각해봐야 합니다.

식물 단백질이 풍부한 두부는 최고의 건강식이자 보양식입니다. 콩은 소화율이 낮아 유용한 영양소를 충분히 흡수하지 못하는

다정한 마음이 채운 한 그릇

단점이 있지만, 콩을 갈아 두부로 만들어 먹으면 소화율이 95%로 높아집니다. 또한 두부로 만들어지는 과정에서 칼슘 함유량이 늘어나 영양 면에서 훨씬 균형 잡힌 식품이 됩니다.

두부를 구울 때는 겉과 속이 겉돌지 않도록 튀기듯이 구워주고, 준비된 양념장을 넣어 속까지 간이 배도록 보글보글 서서히 조려야 합니다.

생사를
뛰어넘는 길

불영사 스님들은 여름 안거 정진 해제가 다가오면 마당의 풀을 뽑고 도량 안팎을 청소하면서 주위를 정돈합니다. 그리고 자기가 사용한 물건들을 처음 있던 그 자리로 돌려줍니다. 마치는 것에 대한 미련이나 끝나는 것에 대한 두려움 없이 본래 처음 있던 자리로 돌려놓습니다. 우리가 잠시 빌려쓴 것을 본래 주인에게 돌려주는 것과 같습니다.

칠월의 보름달 천축산에 걸리고
부처님 그림자 영지에 드리우네
선불장 스님들 청정한 마음이여
허공의 보름달과 마주하고 앉아 있네

다정한 마음이 채운 한 그릇

우리는 태어나고 죽는 일에 마음을 많이 쓰며 두려워합니다. 태어나는 것은 자신도 모르는 일이라 그렇다 치더라도 죽는 것에 대해서는 온갖 두려움과 그에 관한 망상을 가지고 살아갑니다. 그래서 '죽음'은 두려움의 세계이고, 신성하지 못한 어둠의 세계라며 멀리합니다. '죽음은 내 일이 아니야'라고 생각하거나, 그마저도 인식하지 못한 채 망각하면서 살아갑니다.

부처님은 지혜로운 사람에 관해 《숫타니파타》에서 이렇게 말씀하셨습니다.

> 죽기 전에 생에 대한 망령된 집착을 버리고 과거에 얽매이지 않고 현재에도 이것저것 생각하지 않는다면 그는 미래에 대해서도 별로 걱정할 것이 없다.
>
> 그는 분노하지 않고 두려워 떨지 않고 교만하지 않고 후회하지 않으며 주문을 외거나 경박하게 굴지 않고 말을 삼간다.

훌륭한 사람은 태어나고 죽는 일에 노여워하지 않고 두려워하지 않습니다. 그것이 바로 생과 사를 뛰어넘는 길입니다. 우리의 육신은 흙과 물과 불과 바람의 성질로 이루어진 물질이라 시간의 흐름에 따라 시시각각 변합니다. 그래서 우리의 육체를 진정한 '나'라고 할 수 없는 것입니다. 변하지 않는 어떤 순간의 육체는 없으니까요.

"집착하지 말고, 자신을 속이지 말며, 욕심내어 남의 것을 탐하지 말고, 남을 증오하지 말고, 이간질하거나 시기하지 말라"는 가르침은 우리의 순수한 마음에 나쁜 물을 들이지 말라는 뜻입니다. 죽음을 두려워하거나 두려워하지 말아야 한다는 그 생각조차 놓아버리면 됩니다. 다만 살아 있는 지금 최선을 다해 살아갈 뿐입니다.

나누고 싶은 마음밥상 ∞ 산초장아찌

처서가 지나면 불영사 계곡 주변에는 산초나무 열매가 잘 여물어 채취하기에 좋습니다. 간혹 가시에 손이 찔리기도 하지만 포도송이처럼 소담스럽게 열린 열매를 따는 재미에 아픔도 잠시 잊습니다. 생김새와 향만 보면 제피나무와 비슷한데, 제피 열매는 타원형에 가깝고 산초는 그보다 동그랗고 송이에 열매가 많이 달려 있습니다.

다정한 마음이 채운 한 그릇

사찰에서는 제피와 산초의 사용법이 조금 다릅니다. 제피는 주로 잎을 사용하는 데 비해 산초는 위에 좋고 장을 정화시키는 작용을 하기 때문에 열매를 장아찌로 담가 먹습니다. 아침 죽과 누룽지에 곁들이거나 밥에 비벼 먹으면 오독오독 씹히는 맛과 특유의 알싸한 향이 입 안 가득 퍼집니다.

장아찌 먹는 시기는 일 년이 지나면 맛이 들고 삼 년이 되면 깊은 맛을 내지만, 그해 겨울에 바로 먹어도 됩니다. 장아찌를 다 먹고 남은 산초 간장은 버리지 말고 조림이나 나물 무침에 활용하고 죽에 곁들여도 좋습니다.

내려
놓아라

텃밭에 고추가 붉게 익어가는 맑고 향기로운 가을 아침입니다. 산사의 공기는 맑고 햇살은 눈이 시리도록 명징합니다. 꽃 기다리는 계절에 생명 아닌 것이 없습니다.

"나무는 꽃을 버려야 열매를 얻고, 물은 강을 버려야 바다에 이른다"고 했습니다. 나의 의지와 상관없이 계절이 바뀌는 것을 보며 늘 배웁니다. 집착하지 않고 머무르지 않는 진리의 세계를 만납니다.

수행자들이여!
세상의 선과 악, 아름다움과 미움, 원수이거나 친한 사람 등과 험악한 말 또는 거친 몸싸움으로 속이거나 다툴

다정한 마음이 채운 한 그릇

때 그 모든 것을 헛된 것으로 돌려 보복이나 해칠 생각을 하지 말아라. 순간순간의 의식 속에서 지나간 일을 생각하지 않는 것에 머물지 않음, 이를 무주無住라고 한다.

수행자들이여!
만약 지나간 생각과 지금의 생각과 다가올 생각이 순간순간으로 연속되어 끊어지지 않는다면 이것을 얽매임, 속박束縛이라 한다.

저 모든 대상에 생각이 머물지 않으면 속박도 없으니, 이런 까닭에 무주를 근본으로 삼는다.

육조혜능 대사는 지나간 것에 집착하여 보복하거나 해칠 생각을 해선 안 된다고 말씀하셨습니다. 이미 지나간 것에 머물지 말라는 것이 모든 가르침의 근본입니다.

《금강경金剛經》에서는 '그 어디에도 머무는 바 없이 그 마음을 내라(응무소주 이생기심應無所住 而生其心)'고 가르치고 있습니다. 즉 집착 없이 마음을 쓰라는 것입니다. 육조혜능 대사는 출가하기 전에 시장에 땔감 나무를 팔러 갔다가 이 대목에서 크게 깨달은 바가 있어 출가했다고 합니다.

저 역시 즐겨 쓰고 가슴에 새기는 말이 있습니다. '내려놓아라'는 뜻의 '방하착放下着'이라는 말입니다. 이 말은 '무자화두無字話頭'와 '뜰앞의 잣나무(정전백수자庭前栢樹子)' 화두로 이름난 당나라 때의 조주종심趙州從諗(778~897) 선사의 일화에서 유래한 말입니다.

조주 스님의 법을 이은 제자 중에 엄양선신嚴陽善信 스님이라는 분이 있습니다. 하루는 엄양 스님이 조주 스님에게 물었습니다.

"한 물건도 가져오지 않았을 때는 어떻게 해야 합니까?"

"내려놓아라!"

"한 물건도 가져오지 않았는데 무엇을 새삼 내려놓으라는 것인지요?"

"그러면 도로 가져가거라!"

이 말을 듣고 엄양 스님은 크게 깨달았습니다.

한 물건도 가져오지 않은 그것마저도 내려놓으라는 것입니다. 아무것도 가지고 있지 않다는 무소유라는 관념마저 버리라는 가르침이죠.

상대적인 분별과 집착은 모든 고통의 원인입니다. 집착을 내려놓으면 곧바로 자유로울 수 있습니다.

방하착!

나누고 싶은 마음밥상 ∞ 가을상추무침

아침에는 쌀쌀하고 낮에는 뜨거운 햇빛을 마주해야 하는 계절 탓에 입는 것뿐만 아니라 먹는 입맛에도 변화가 생깁니다. 가을 상추는 여름상추보다 수분이 적고 크기도 작지만 신선하고 고소 합니다.

그러나 더위를 식히는 계절이 아닌 탓에 새콤한 겉절이나 쌈으로 먹기에는 차고 냉합니다. 그래서 가을에 거둬들인 들깨를 넣어 아삭하게 씹히는 상추에 들깨의 영양분으로 냉한 것을 보완 해 버무려 무쳐봅니다.

채소를 먹을 때는 달거나 짜지 않게 양념을 조절하고 신선한 재료의 풍미와 감칠맛, 향 등을 느끼도록 하는 것이 좋습니다. 간을 적게 하거나 되도록 하지 않고 먹는 습관을 들이는 자세가 더 중요합니다.

살아 있는
모든 것들이여

바람이 제법 차갑습니다. 겨울이 오는 길목에 온 생명이 몸을 한껏 움츠리고 있습니다. 살아 있는 모든 생명을 진정한 자비심으로 존중하고 사랑으로 품는 일은 결국 나 자신을 행복과 축복으로 나아가게 하는 근원입니다.

> 살아 있는 모든 것들이여,
> 지상에 사는 것이건 공중에 사는 것이건 다들 기뻐하라.
> 그리고 마음을 가다듬고 내 말을 들으라.
> 살아 있는 모든 것들이여,
> 귀를 기울여라.
> 밤낮으로 공양을 올리는 사람들에게 자비를 베풀어라.

다정한 마음이 채운 한 그릇

함부로 대하지 말고 그들을 지켜라.

이 세상과 저 세상의 그 어떤 부라 할지라도,

천상의 뛰어난 보배라 할지라도

우리들의 완전한 스승에게 견줄 만한 것은 없다.

이 뛰어난 보배는 깨어 있는 분 안에 있다.

이 진리의 보배로 모두 행복하라.

　

살아 있는 모든 존재들에게 행복을 축원하는 《숫타니파타》의 내용입니다. 우리들의 완전한 스승이야말로 뛰어난 보배이며, 그 보배는 깨어 있는 마음 안에 있다고 했습니다. 그렇다면 내 마음 안에 있는 보배는 무엇이며, 그 보배는 우리에게 무엇을 가르치는 스승일까요? 여러분은 무엇을 가장 값진 보배로 삼고 있나요?

돈이 없는 사람은 돈을 보배로 여길 것이고, 외로운 사람은 친구를 보배로 여길 것입니다. 또 이념이나 이상을 보배로 여기는 사람도 있고, 가족을 가장 값진 보배로 여기는 사람도 있습니다.

아마도 사람들마다 보배로 삼는 기준이 다를 테지요. 하지만 우리가 보배로 삼는 대부분의 것들은 인간의 욕심과 욕망을 투영한 경우가 많습니다. 그것이 돈을 포함한 재물이든, 가족을 비롯한 사람이든 우리의 욕심과 욕망에 갇혀 있는 경우가 많습니다.

내가 가장 값진 보배라고 생각하는 것을 놓아버릴 때 진정으로 큰 자유를 얻을 수 있습니다. '놓아버림'은 없애버리거나 떠나보내라는 말이 아닙니다. 내가 가진 재산이나 돈을 버리고, 가족이나 친구, 연인을 떠나야 한다는 말이 아닙니다. '놓아버림'은 나의 욕심과 욕망이 묻어 있는 집착하는 그 마음을 버리는 것입니다. 가장 값진 보배라고 생각하면서 집착을 놓지 못하기 때문에 자유롭지 못하고 더 큰 괴로움과 만나게 되는 것입니다.

내 마음의 진실 본성을 만나는 것이야말로 값진 보배이고, 그 보배는 우리에게 집착을 내려놓으라고 가르쳐주고 있습니다. 집착을 놓을 때 재물이든 사람이든 진정으로 사랑할 수 있습니다.

나누고 싶은 마음밥상 ∞ 도토리묵

노보살님들이 직접 줍고 껍질을 까서 절구로 빻은 도토리가루로

다정한 마음이 채운 한 그릇

묵을 쑤어봤습니다. 도토리묵은 쌉싸래한 도토리 고유의 맛을 그대로 살리는 것이 중요합니다.

요즘은 잡채, 김치, 떡, 전 등 다양한 음식들을 시장이나 마트에서 손쉽게 구할 수 있지만, 이 음식들을 직접 만들어보지 않는 이상 얼마나 많은 공이 들어가는지 알기란 쉽지 않습니다. 그중에서도 묵은 유난히 손이 많이 가는 음식 중 하나입니다.

일미칠근一米七斤이라고 했던가요. 쌀 한 톨에 일곱 근에 해당하는 농부의 땀이 들어 있다는 말입니다. 존재하는 모든 것에는 이유가 있습니다. 이 모든 살아 있는 존재들을 소중히 생각하고, 귀하게 그리고 감사히 생각하는 마음이 건강의 출발점이 될 것입니다.

진흙에 더럽히지 않는
연꽃처럼

인간의 생명은 짧습니다. 우리 대부분은 백 살도 못 살고 죽게 마련입니다. 우주라는 긴 시간적 흐름 속에서 백 년은 아주 짧은 시간입니다.

우리는 살아가는 동안 '나'라는 생각이나, '내 생각'이라는 고집이나, '내 것'이라는 집착 때문에 괴로움을 안고 살아갑니다. 이토록 짧은 순간을 살면서 그 시간을 온통 괴로움 속에서 보내는 것입니다.

바로 어리석어서 그렇습니다. '내 것'이라고 집착하면서 소유하고 살면 행복해야 하는데, 집착하는 그 물건 때문에 근심하고 걱정을 합니다. 자기가 소유한 것이 영원하지 않기 때문입니다.

다정한 마음이 채운 한 그릇

꿈속에서 만난 사람도 잠에서 깨면 다시 볼 수 없습니다. 사랑하는 사람도 죽어 이 세상을 떠나면 다시는 만날 수 없습니다. 이 세상 모든 것은 변하고 없어진다는 진리를 알면 집착과 욕망에 머무르지 않게 됩니다. 우리가 '내 것'이라고 생각하는 물건도 내가 죽으면 아무 소용이 없습니다. 내가 소유하고 있는 것들을 보면서 '내 것'이라는 생각에 사로잡히지 말아야 합니다.

'내 것'이라고 집착해 욕심을 부리는 사람은 걱정과 슬픔과 인색함을 버리지 못하고 그것마저 끌어안고 살아갑니다. 평안한 사람은 집착하지 않습니다. 걱정이나 슬픔, 인색함도 진흙에 더럽히지 않는 연꽃처럼 나를 어찌할 수는 없습니다.

그렇다고 '모든 것을 버려야 한다'는 뜻으로 해석해서는 안 됩니다. 그것은 마치 집착으로 인해 괴로움이 생기니, 이번에는 아무것도 가지지 않겠다고 버티는 꼴과 다르지 않습니다. 양극단을 버려야 합니다. 있는 그대로의 존재를 볼 수 있어야 합니다.

'산시산 수시수山是山 水是水'라는 선어禪語가 있습니다. 송나라 청원유신青原惟信(?~1117) 선사의 말씀이기도 하고, 야보도천冶父道川 선사도 말씀하셨다는 '산은 산이요, 물은 물이로다'라는 뜻입니다.

우리에게는 성철 스님의 법어로 더욱 유명해진 이 말의
뜻을 다시금 되새겨봐야겠습니다.

산은 산이요 물은 물이로다
부처님은 어느 곳에 계시는가
山是山 水是水 佛在甚麼處

나누고 싶은 마음밥상 ∞ 연자탕

연자탕은 대만 사찰 음식 중 하나입니다. 대만에서는 연자를
'연자육蓮子肉'이라고도 하는데, 이때 '육'은 과육의 씨와 껍질을
제외한 살을 일컬을 때 쓰는 말입니다.

연꽃의 열매인 연자는 우리나라에서는 주로 죽을 만들 때 사용
하지만, 대만 사찰에서는 이 연자를 통째로 불려 먹습니다. 연자
는 어렵지 않게 구할 수 있는 식재료이며 탕으로 끓이면 맛이 깔
끔해 누구나 즐길 수 있습니다.

심신을 안정시키고 집중력을 높이는 데 좋은 연자는 연꽃이 하
나둘 지고 열매가 들어 있는 연밥이 잘 여물면 수확합니다. 신선

다정한 마음이 채운 한 그릇

한 초록의 연자로 탕을 끓일 때는 겉껍질을 벗기고 한가운데 씁쓸한 맛이 나는 심을 제거한 후 사용합니다. 연자는 오래 푹 끓일수록 깊은 맛이 나고 식감도 좋아집니다. 여름에는 종종 차게 식혀서 먹기도 합니다.

염파의 분노와
해탈

고사성어 중에 선공후사先公後私라는 말이 있습니다. 사私보다 공公을 앞세운다는 뜻으로, 사사로운 일이나 이익보다 공익을 우선시한다는 뜻입니다.

이 고사성어는 중국 전국시대 때 세력을 굳힌 7개 나라(전국칠웅) 가운데 하나인 조趙나라에서 유래되었습니다. 조나라는 외교로는 인상여藺相如, 국방으로는 염파廉頗에게 의지했을 정도로 두 사람의 역할이 매우 컸습니다. 그런데 갈수록 인상여의 지위가 높아지자 염파는 분개했습니다.

"나는 전장에서 목숨 걸고 싸우는데 인상여는 혀만 놀려 애쓴 것도 없이 어찌 높은 자리에 앉아 있을 수 있단 말인가? 내 그놈을 만나면 망신을 주고 말 테다."

다정한 마음이 채운 한 그릇

인상여는 그 말을 듣고 일부러 염파와 마주치지 않도록 피해 다녔습니다. 이를 본 주변 사람들이 피하는 이유를 자꾸 묻자 인상여가 이렇게 답했습니다.

"진나라가 쳐들어오지 않는 것은 우리 두 사람이 버티고 있기 때문이다. 이러한 때 우리가 싸운다면 결국 양쪽 다 살아남을 수가 없다. 내가 염 장군을 피해 숨어 있는 것은 국가의 위급을 먼저 생각하고 개인의 원한은 뒤로하기 때문이다."

이 말을 전해 들은 염파는 자신의 경망함을 부끄럽게 여기며 인상여에게 진심으로 사과하고 막역지우가 되었다고 합니다.

우리는 염파의 생각이 바뀌는 부분에 주목할 필요가 있습니다. 우리 안에는 고통을 소멸하는 자기만의 면역체계에 관한 규칙과 나름의 체계가 있습니다. 고통은 집착에서 생기며, 집착을 내려놓는 순간 고통도 함께 사라진다는 진리 역시 누구나 알고 있습니다. 염파는 성질이 급하고 다혈질이라 자기 생각을 숨기지 않고 인상여에 대한 분노를 내보였습니다. 그러나 인상여의 참뜻을 알고는 곧바로 자신의 잘못을 인정하고 머리를 숙입니다.

우리도 이런 경우를 종종 경험합니다. 하지만 대부분은

자기 잘못을 곧바로 인정하지 않습니다. '자존심이 상한다'는 이유를 들면서 처음 주장을 계속 밀고 나가는 경우가 많습니다. 정치인들만 봐도 진정으로 옳고 그름을 생각하기보다는 당론이라는 이름으로 당리당략을 앞세워 자기 뜻을 쉽게 굽히지 않습니다. 잘못을 인정하는 순간 자신이 지는 것이라고 생각하기 때문입니다. 하지만 진정으로 국민을 위한다면 이기고 지는 것은 무의미합니다.

지금 우리에게 중요한 것은 자기 안에 꿈틀거리는 분노를 어떻게 하면 다스릴 수 있느냐, 이것이 아닐까 합니다. 나를 갉아먹고 마음 상하게 하는 분노의 고통을 우리는 쉽게 내려놓지 못합니다. 어떻게 내려놓을 수 있냐고 아우성입니다.

하지만 해결은 아주 간단합니다. 그냥 내려놓으면 고통은 바로 사라집니다. 내려놓는 것이야말로 큰 용기입니다.

나누고 싶은 마음밥상 ∞ 표고찜

봄이 시작되기 전, 표고버섯 종균을 넣어둔 참나무를 두드려 잠을 깨우고, 나무의 위아래를 바꿔주며 봄 수확기에 맞춰 버섯 채취 준비를 합니다. 자연의 사랑을 듬뿍 받고 자란 불영사의 표고버섯은 대부분이 '백화고'라 불리는, 흰빛을 띠고 두툼하며 탄탄한 질감이 거북 등처럼 결을 만들고 있어 굳이 만져보지 않아도 잘 자라 신선한 것임을 한눈에 알 수 있습니다.

갓 딴 표고버섯은 표면을 깨끗하게 정리한 후 기둥을 떼고 천일염을 조금 뿌려 찜통에서 살짝 찝니다. 먹을 때 유장(참기름, 소금)을 곁들이면 영양 손실 없이 담백하게 섭취할 수 있습니다.

생버섯으로 먹을 때에는 체질에 따라 알레르기를 유발할 수 있으니 주의해야 합니다.

4

깨우다

깊은 밤은 고요하고 어둠 속에 한적한데
설국 정원 하얀 세상 대낮처럼 밝아 있네
천년 세월 금강송이 눈꽃으로 화답하니
정진하는 스님들의 마음눈을 씻어주네

설국의 밤하늘은 별빛처럼 깨어 있고
잔잔한 바람결에 눈꽃송이 설법하네
신라 고찰 불영산사 고요 속에 적적한데
눈 푸른 운수납자 성성하게 깨어 있네

깨달음을
얻은 날

산사의 새벽 공기가 맑고 명징합니다.

음력 12월 8일은 부처님이 깨달음을 얻은 날입니다.

이날을 맞추어 8일간 용맹정진에 들어갑니다.

산문을 닫고 잠을 줄이고 오로지 정진에 집중합니다.

부처님의 제자로서 그분처럼 생사의 고해를 벗어나

해탈과 열반을 얻기 위함입니다.

우리는 살아가면서

미워하고 원망하고 시기 질투하며 괴로워합니다.

더 많이 갖고 더 높이 오르고 싶어서 늘 괴로워합니다.

남편 때문에, 아내 때문에, 아이 때문에,

부모 때문에, 친구 때문에, 직장 상사 때문에,
바로 '너' 때문에 괴롭다고 합니다.

다시 한 번 생각해봅시다.
사람들은 많이 갖거나 높은 자리에 앉아도
그보다 더 많이 그리고 높은 자리를 원합니다.
상대방이 어떻게 하느냐에 따라
나의 행복과 불행이 결정됩니다.
이것은 인간이 갖는 보통의 마음이라고
애써 위안하며 살아갑니다.

당신은 지금 무슨 생각을 하고 계십니까?
그 한 생각이 내 인생의 전부를 창조합니다.
내가 숨 쉬고 있는 이 순간,
지금 여기에서 출발해야 합니다.
이 순간이 빠진 어제와 내일은 존재하지 않습니다.

그래서 우리에겐 항상 모든 것이 처음 자리입니다.
억지로 잘 하려고 애쓰는 것보다
매 순간 평상심을 유지하는 자세가 더 중요합니다.

다정한 마음이 채운 한 그릇

그래야 오래 갈 수 있습니다.

평범함이 가장 훌륭한 것이기 때문입니다.

나누고 싶은 마음밥상 ∞ 물김국

산사에 찬바람이 돌고 겨울이 성큼 다가오면 사찰의 식재료에
도 변화가 생깁니다. 산과 밭에서 얻은 채소들은 갈무리를 끝내
고 파래, 매생이, 김 등 바다에서 얻을 수 있는 식재료가 보태집
니다. 서남쪽 바다에서 나오는 물김은 칼륨과 단백질 함량이 높
고, 김은 칼슘과 비타민이 풍부해 우리 몸에 이롭습니다.

특히 국, 무침, 전 등은 부드러운 식감으로 노스님과 모든 대중
스님들이 부담 없이 드실 수 있습니다. 김을 이용해 국과 전을
하는 날이면 마음은 이미 바닷가에 앉아 있는 것 같습니다.

물김국은 오래 끓이면 신선한 맛보다 비린 맛이 많이 납니다. 그
래서 한 번 먹을 분량으로 끓이는 것이 좋습니다. 국을 끓일 때
된장과 고추를 넣으면 비릿한 맛과 느끼한 맛을 동시에 잡아줄
수 있습니다.

보려면
당장 보아야지

중국의 용담숭신龍潭崇信(782~865) 스님은 젊었을 때 천황도오天皇道悟(748~807) 스님을 모시고 도를 깨쳤습니다.

도오 스님은 사람이 찾아와도 반갑게 맞이하는 법이 없고, 떠날 때도 일어나 배웅하는 법이 없었습니다. 빈부귀천을 가리지 않고 그저 가만히 앉아 합장만 하고, 불법에 대해 물어도 "저는 불법을 모릅니다"라는 말뿐이었습니다.

사람들은 이런 도오 스님을 보며 "진짜 도인이시다"라고 찬탄했습니다. 하지만 용담 스님은 늘 불만이었습니다. 곁에서 지극정성으로 시봉하는 자기에게도 도통 별다른 말씀이나 가르침을 주는 법이 없었기 때문입니다.

어느 날 용담 스님이 도오 스님에게 물었습니다.

다정한 마음이 채운 한 그릇

"저는 이미 스승님을 오랫동안 모셨는데, 왜 아직도 스승님은 저를 위해 심요心要를 가르쳐주시지 않습니까?"

"나는 항상 너에게 심요를 가르치고 있다."

"무엇을 가르쳐주셨습니까? 저는 한마디도 듣지 못했습니다."

"네가 차를 끓여 오면 나는 너를 위해 받아 마셨고, 밥을 가지고 오면 나는 고맙게 먹었다. 네가 아침저녁으로 인사하면 나도 예로 대했는데, 너는 무엇을 더 가르쳐달라고 하느냐?"

용담 스님이 무슨 말씀인가 싶어 머리를 숙이고 잠자코 생각하자, 도오 스님이 다시 말했습니다.

"보려면 당장 보아야지, 이 생각 저 생각으로 이것저것 헤아리면 바로 어긋나는 법이다. 도를 보는 것은 즉시 보는 것이야!"

이 말에 용담 스님이 크게 깨달았습니다.

배움은 언제나 일어나고 있는 현상입니다. 자연을 보고도 배우는 것이 많습니다. 산을 보고 배우고, 물을 보고 배우고, 하늘을 보고 배우고, 만물을 보고 배웁니다.

옛 선인들은 "자고로 사람은 겸손하고 또 겸손해야 배움이 커진다"라고 했습니다. 겸손함은 나를 낮추는 데서 시작

합니다. 거짓된 '나'를 내세워 옳다고 주장하고 고집하면 겸손해질 수 없습니다. 우리들 일상의 삶이 모두 마음의 작용임을 알아야 합니다.

진실된 참마음은 그 성품이 허공과 같습니다. 특별히 이해하고 얻어야 할 성스러운 지혜가 따로 있는 게 아닙니다. 배움은 특별한 학문을 익히는 데 있는 것이 아니라 우리의 참마음을 알아가는 것입니다. 진실한 마음자리를 알아가고 찾는 것, 그것이 배움입니다.

나누고 싶은 마음밥상 ∞ 고구마밥

맛이 달면서 중성中性인 고구마는 비장과 위장을 튼튼하게 하고 혈액순환을 원활하게 해줍니다. 혈액순환이 원활해지니 추위를 많이 타는 사람에게 특히 좋습니다.

주성분이 전분인지라 칼로리가 높기에 비만과 당뇨가 있는 사람은 양을 조절해 적당량을 섭취하는 것이 좋습니다. 줄기 역시 나물을 해 먹을 수 있으니 고구마는 그 무엇도 버릴 것이 없는 완전체 식재료입니다.

다정한 마음이 채운 한 그릇

예부터 수행에 전념하는 스님들은 그 무엇이든 아끼고 절약하고 나누어 쓰는 일에 익숙합니다. 절에 있는 모든 것은 불자님들의 보시로 완성된 공양물이기 때문입니다. 나누어 쓰고 아껴 쓰는 정신이야말로 수행공동체의 제일 운영 원칙입니다.

아첨과
굽음

약산유엄藥山惟儼(745~828) 스님은 석두희천石頭希遷(700~790)
스님에게서 법을 이은 당나라 때 선사로, 약산유엄 스님으로
부터 비롯된 문하에서 선종오가禪宗五家의 조동종曹洞宗이 탄
생했습니다.

　　약산 선사에게 어떤 스님이 물었다.
　　"어떤 것이 길가에서 만난 지극한 보배입니까?"
　　선사가 대답하였다.
　　"아첨과 굽은 말을 말라."
　　스님이 말하였다.
　　"아첨과 굽음이 없을 땐 어떠합니까?"

　　　　　　　　　　　다정한 마음이 채운 한 그릇

선사가 대답하였다.

"나라를 주고도 바꿀 수 없느니라."

藥山 因僧問 如何是道中至寶 師云 莫詔曲

僧云 不詔曲時如何 師云 傾國莫換

이 이야기는《선문염송禪門拈頌》에 나오는 것으로, 무엇을 지극한 보배로 삼아야 하는가에 관한 가르침을 담고 있습니다.

어떠한 눈으로 세상을 보느냐에 따라 내 생각도 보는 눈도 달라지게 마련입니다. 결코 옛이야기만이 아닙니다. 아첨과 비굴함이 사라진 사회의 정의는 지금도 필요합니다. 조금이라도 왜곡되거나 꾸밈이 있으면 마음의 진실은 자기 스스로도 보기 어려울 것이며 세상도 속이게 됩니다.

먼저 내 안에 있는 욕구, 번뇌의 망상과 미움, 원망 등을 내려놓은 다음 진정한 나를 느껴야 합니다. 그러면 자신을 더욱 낮춰 겸손할 수 있고, 세상 무엇 앞에서도 당당할 수 있습니다.

자신과 세상을 한번 떼어놓고 멀리서 바라보세요. 보고 듣고 생각하며 마음속으로 번민한다는 것이 얼마나 작은 일인지 깨달을 수 있습니다. 내가 가진 욕구와 번뇌로 죽느니

사느니 해도 저 높은 하늘 위에서 내려다보면 티끌만큼 작은 한 점으로 살고 있는 존재일 따름입니다. 더 높이 올라가면 우리가 살고 있는 이 지구마저도 한 점으로 반짝이는 별에 불과합니다.

또 시간적으로 백 년 안팎의 인생을 살면서 전부를 얻고 전부를 잃는 것마냥 기뻐하고 아파합니다. 지구가 생기기 이전부터의 시간과 앞으로 흘러갈 시간 속에서 우리 인생을 바라보면 그저 찰나의 순간일 뿐입니다.

선가禪家에 방하착放下著이라는 말이 있습니다. 그냥 내려놓으라는 의미입니다. 여기에는 어떤 조건도 있을 수 없습니다. 내려놓는 것에는 특별한 방법이 없습니다. 아무런 조건 없이 그냥 놓아버리면 됩니다. 그냥 내려놓으면 됩니다.

나누고 싶은 마음밥상 ∞ 냉이된장국

똑같이 봄에 나는 나물이라도 저마다 성질이 다 다릅니다. 약이 되는 나물도 무분별하게 먹으면 건강의 균형을 잃을 수 있고, 독이 되는 나물도 때에 따라선 약으로 쓰일 때가 있습니다. 인연

다정한 마음이 채운 한 그릇

에 따라 독이 약이 되기도, 약이 독이 되기도 합니다.

자연을 통해 우리의 마음이 치유될 수 있는 이유는 어떤 인연을 통해서도 거스름이 없기 때문입니다.

사람 또한 마찬가지입니다. 저마다 각기 다른 재능을 가지고 살아가지만 어떤 인연을 만나느냐에 따라 드러나는 모습이 달라질 수 있습니다. 그리하여 자신에게 지족知足하지 않는 사람은 수행이라는 약을 가지고도 스스로 독을 만드는 것과 같다 하겠습니다.

자기 역할을 묵묵히 행하는 것이
수행입니다

농사철이 되면 무엇보다 날씨에 신경이 많이 쓰입니다. 게다가 최근에는 지구온난화로 인한 이상기온으로 봄과 여름의 경계가 무너지고 한낮의 봄 더위가 여름과도 같은 날이 계속되고 있습니다.

이런 와중에도 새들은 정겹게 지저귀고, 계곡물은 쉼 없이 흐릅니다. 또 경내 가득히 행자들의 독송 소리가 도량을 맑히고, 텃밭에서는 채소들이 무럭무럭 잘 자라고 있습니다. 저마다 자기 자리에서 제 역할을 묵묵히 행하는 그 모습이 곧 수행입니다. 사찰을 오가는 길에 채소들에게 눈길 한번 보내고 잘 자라길 기원하는 마음을 보태주면 그것이 보살의 마음이며 자리이타自利利他의 실천입니다.

예로부터 아이를 키우려면 한 마을이 필요하다고 했습니다. 마찬가지로 곡식이 익고 건강한 농산물을 얻기 위해서는 온 도량의 관심과 보살핌이 필요합니다. 오늘은 바른 먹거리를 얻기 위해 관계된 모든 이들이 어떤 마음을 가져야 하는지에 대해 생각해보겠습니다.

우선 농부가 땅을 고르고 씨를 뿌려 싹이 트기 시작하면, 눈을 맞추고 이름을 불러주며 좋은 소리로 축복하고 손으로 어루만지며 코로 같이 호흡하고 온몸으로 사랑을 전해주어야 합니다. 이 모든 행위가 식물이 자라고 커가는 과정에서 거름이 되고 크고 작은 자연재해에도 스스로 이겨내는 힘이 될 수 있습니다. 말 못 하는 식물도 농부에게 받는 사랑이 생존의 이유임을 알기 때문입니다.

다음으로 유통하는 사람은 농부가 사랑하는 마음으로 자식 돌보듯 키운 농산물들을 정당한 대가로 보답해야 합니다. 바른 유통과정을 통해 신의信義로써 인연을 맺고 만인에게 전달하며, 마치 건강을 책임지는 의사와 같은 마음으로 인연공덕因緣功德을 베풀어야 합니다.

마지막으로 공급받는 사람 가운데 음식을 만드는 사람은 나를 대신하여 수고로운 모든 일을 해준 농부와 유통자에게 감사의 마음을 내고, 이 음식을 먹는 이들을 위해 부처님께 공양을 올리는 마음을 내어야 합니다. 또 음식을 먹는 사람은 밥 한 톨, 상처 난 깻잎 한 장에도 불평의 마음이 없어야 합니다. 오늘 공양을 베풀어준 모든 이들에게 진심으로 감사하는 마음으로 공양을 받고 맛있게 먹어야 합니다.

각자의 역할에 맞게 농산물을 재배하고 유통하며, 음식을 만들어 먹는 과정에서 갖는 감사의 마음은 매우 중요합니다. 모든 일은 그렇게 그물망처럼 연결되어 있고, 결국 그 공덕과 과보가 나에게 돌아오는 것임을 잘 알아야 합니다. 이러한 인연법을 먹는 것 하나에서도 바르게 볼 수 있다면 그것이 행복한 삶의 시작입니다.

마음 깊은 곳에서 시작된 감사의 울림이 사랑으로 실천될 때 모두가 함께 바르게 성장할 수 있습니다. 먹는 것 하나에도 서로 믿고 신뢰할 수 있는 마음을 가질 수 있다면 이것이 바른 닦음이 아니고 무엇이겠습니까.

나누고 싶은 마음밥상 ∞ 어수리전

어수리의 최대 재배지인 경북 영양에서는 어수리보다 '여느리'로

다정한 마음이 채운 한 그릇

더 널리 알려져 있으며, 지역에 따라 '어느리', '어너리', '은어리' 등으로도 불립니다.

식감이 좋고 약간의 당귀 향이 나는 어린잎을 스님들은 쌈으로, 나물로 자주 드시는데, 이번에는 전으로 부쳐봤습니다. 감자를 갈아 밀가루와 섞어 반죽을 하면 전이 더 바삭한 맛이 납니다. 가지런히 간추린 어수리를 손바닥 넓이로 펼친 다음 감자-밀가루 반죽에 앞뒤로 묻히고 노릇하게 지져서 초고추장과 함께 곁들여 냅니다.

어수리는 혈관계 질환을 예방하고 중풍 치료에 도움을 주는 대표적인 나물입니다. 종기, 피부질환 치료제, 신경통 개선은 물론이고 골다공증 및 관절 질환 개선에도 효과가 크다고 합니다.

남의 불행 위에
나의 행복이 있을 수 없다

얼마 전에 잘 알고 지내는 보살님 한 분이 연락을 해오셨습니다. 갑작스럽게 친구를 먼저 보냈다는 얘기를 담담히 하시면서, 불교 경전 공부와 마음공부를 해오던 중이라 좋은 마음으로 잘 보낼 수 있었다고 합니다. 바르게 불법을 알고 공부하니 큰 슬픔에도 동요되지 않고 먼저 간 친구와의 좋은 기억들을 추억하면서 행복한 마음으로 더 좋은 곳에 나기를 발원할 수 있었다는 것입니다.

그러면서 말미에 한 가지 아쉬운 점을 말했습니다. 장례식장의 음식 문화에 대해 이야기하면서, 우리나라의 일생의례一生儀禮를 봐도 기쁜 날이건 슬픈 날이건 늘 해오던 관습대로 고기를 준비하는 일이 다반사라며 제례 음식의 변화를

다정한 마음이 채운 한 그릇

바랐습니다. 그도 그럴 게 대부분의 사람은 경조사에 찾아오시는 손님들에게 대접하는 음식으로 고기가 빠지면 안 된다고 생각하는 것 같습니다.

경전 가운데《지장보살본원경地藏菩薩本願經》제7품 '이익존망품利益存亡品'에 나오는 몇 구절을 옮겨보겠습니다.

> 자신이 지은 악업으로 반드시 악도에 떨어지게 되더라도 가족들이 그를 위해 짓는 인연공덕으로 갖가지 죄가 모두 소멸될 것이다. 또한 죽은 뒤 49일 안에 가족들이 여러 가지 공덕을 지으면 그 사람은 영원히 악도를 여의고 인간과 천상에 태어나서 현재의 가족들도 한량없는 이익을 받을 것이다. 그러나 설사 망자가 전생이나 현생에 좋은 업을 지었다고 할지라도 임종할 때 가족들이 산목숨을 죽이거나 악한 인연을 짓는다면 이는 살생하는 것과 같으니 죽은 사람에게 털끝만큼도 이익이 되지 않고 죄만 더 깊고 무거워질 뿐이다.

또 제8품 '염라왕중찬탄품閻羅王衆讚歎品'에서는 수명을 관장하는 주명귀왕主命鬼王이 어느 집에 아기가 태어나려 하자, 집안사람들이 선한 일을 하면 집안에 이익이 더할 것이요, 모든 신들이 아기와 어머니를 보호하고 큰 안락을 얻게 해 가족도 이롭게 된다고 했습니다. 반면 아이가 태어날 때 산모에게 비린 것을 먹이고 산목숨을 죽여서 잔치를 베풀면 이는 스스로 재앙을 불러일으키는 격으로, 산모와 아기 모두에게 해를 입히게 된다고 했습니다.

남의 불행 위에서 나의 행복이 있을 수 없는데, 하물며 남의 희생을 알지 못한 채 나의 슬픔이 가장 큰 슬픔이라 생각하는 것은 어쩌면 가장 큰 무지가 아닐까 생각합니다.

어떤 사람은 이러한 내용이 불교 경전에 나와 있는 내용이라며 종교적이라고 생각할지도 모르겠습니다. 그러나 전 인류가 그토록 염원하는 평화로운 세상을 만들기 위해서는 '생명 존중'의 정신이 바탕이 되어야 합니다. 그래야 전쟁과 갈등이 없는 평화와 상생의 관계를 완성할 수 있습니다.

부처님께서 불자들에게 첫째로 강조하신 "보시를 행하고 공덕을 쌓으라"고 하신 말씀대로 남에게 베풀어 자비를 실천하는 일은 무척 중요합니다. 하지만 그보다 더 중요한 일은 스스로를 점검해서 마땅히 해야 할 일을 하고 마땅히 하지 말아야 할 일을 경계하는 것입니다.

지금, 우리 집 밥상을 한번 보십시오. 생명을 존중하고 상생을 추구하기 위해 실천하고 계십니까?

다정한 마음이 채운 한 그릇

나누고 싶은 마음밥상 ∞ 아욱수제비

"가을 아욱은 사립문을 닫고 먹는다"는 말이 있을 정도로 가을 철 아욱은 맛과 영양이 풍부합니다. 하지만 밭에서 바로 따서 먹을 수 있는 여름 아욱의 부드럽고 시원한 맛도 이에 못지않습니다.

여름 아욱은 가을 아욱만큼 억세진 않지만, 박박 문질러 헹궈서 진을 빼고 쓴맛을 제거한 뒤 요리를 하는 것이 좋습니다. 아욱은 다른 채소보다 자라는 시간이 짧아 베고 나서도 몇 번은 더 베어 먹을 수 있습니다.

최근에 수확한 첫 아욱으로는 국을 끓였고, 두 번째 자란 것은 된장을 풀어 죽을 쑤어 먹었습니다. 더위로 지친 날에는 채수에 된장을 풀고 표고버섯을 넣어 수제비를 끓이니 스님들이 금세 한 냄비를 비웁니다. 그야말로 별미가 아닐 수 없습니다.

나는
누구인가

지금 불영사 텃밭에는 채소들이 한창 자라고 있습니다. 감자, 오이, 토마토, 수박, 참외, 쑥갓, 방아, 깻잎, 들깨, 근대, 고수, 아욱, 상추, 열무, 고추, 토란, 머위, 호박 등 여름 안거 정진을 하는 스님들의 좋은 양식이 되고 있습니다. 나무 그늘이 시원한 여름 이 아침, 오늘은 깨달음에 관한 이야기를 해볼까 합니다.

우리는 일상에서 길을 잃고 갈림길에 서 있을 때도 있고, 목적지를 잃고 방황할 때도 있습니다. 도대체 나는 누구인가, 인생의 참 의미는 무엇인가, 먹기 위해 사는가 살기 위해 먹는가… 지금도 헤매고 있습니다.

달마 스님의 29세요, 임제 스님의 15세 법손法孫인 중국

천목중봉天目中峰(1263~1323) 스님의 말씀을 담은《천목중봉
화상광록天目中峯和尙廣錄》에 보면 이런 내용이 있습니다.

> 뜻이 청정하면 마음이 맑아진다.
> 마음을 쉬지 않고 성품 보기를 구하는 것은
> 물결을 헤치면서 달을 찾는 것과 같다.
> 뜻이 청정하면 마음이 맑아지나니
> 뜻은 오달하지 않고 마음 밝히기를 구하는 것은
> 거울을 찾다가 티끌만 더하는 것과 같다.

　깨달음이란 각자 자신에 대한 가장 본질적인 생명의 근
본, 즉 마음을 깨닫는 것입니다. 결코 지식이나 철학의 학문,
세상사 등 다른 데서 구할 수 있는 게 아닙니다.

　참된 마음의 성품은 언제나 우리와 함께하고 있습니다.
우리는 마음을 단 한순간도 벗어난 적이 없으며, 매 순간 나
와 만나고 있습니다. 그러나 정작 자신의 주인인 참마음을
알려고는 하지 않습니다.

　천목중봉 스님의 말씀처럼 물결을 헤치면서 달을 찾고,
거울을 찾다가 티끌만 더하고 있지는 않은지, 오늘은 나를
돌아보는 시간을 가져보면 어떨까요?

나누고 싶은 마음밥상 ∞ 표고버섯밥

공양 후 차 한잔을 뒤로하고 맑은 산사의 공기를 마시며 포행을 나섭니다. 소나무 숲 사이로 단풍나무와 은행나무가 함께 어우러져 있는 곳에 참나무 표고버섯 밭이 있습니다. 물을 주고 그늘을 막아 더 많은 양이 나오도록 관리해줄 법도 한데, 필요한 양이면 족한 불가의 전통을 따라 불영사의 버섯 밭은 자연 그대로에 의지합니다.

금방 따온 버섯으로 밥을 지으면 양념간장이나 김치 하나로도 풍성한 상차림이 됩니다. 말린 표고버섯을 사용할 경우 미지근한 물에 불린 뒤 기둥을 분리하고 곱게 채를 썬 후 들기름에 채수를 부어가며 충분히 볶아 부드럽게 만듭니다. 이후 생표고버섯과 같은 방식으로 밥을 지으면 됩니다.

생표고버섯의 특징은 말린 표고버섯보다 향이 강하지 않고 질감이 부드럽고 담백하다는 점입니다. 씹는 것이 불편할 때는 다지듯이 썰어서 같은 방법으로 밥을 지으면 좋습니다.

다정한 마음이 채운 한 그릇

내 안의
모순

우리에게 놀라운 일들이 있다면, 놀라운 생각이 먼저 있었다는 뜻이기도 합니다. 놀라운 생각이 그 놀라운 일들을 만들어내기 때문입니다.

흔히 일상에서 입버릇처럼 하는 말들에는 모순적인 경우가 많습니다. 어린 시절에는 빨리 어른이 되고 싶어 합니다. 어른이 되면 자기 마음대로 할 수 있을 것 같아서 빨리 어른이 되고 싶은 겁니다. 그런데 막상 어른이 되면 어린 시절을 그리워하며 되돌아가기를 갈망하거나 후회하며 살아가는 경우가 많습니다.

젊은 날 돈을 벌기 위해 수단과 방법을 가리지 않고 돈을 벌다 보면, 결국 건강을 잃고 젊음도 잃게 됩니다. 그러면 그때부터는 건강을 되찾기 위해서 벌어놓은 돈을 쓸 수밖에 없습니다. 나중에 돈 많이 벌어 여행도 다니고 편하게 살겠다고 다짐하지만, 정작 그때가 되면 몸이 불편해서 다닐 수가 없습니다.

석두희천石頭希遷(700~790) 선사의 법을 이은 제자 가운데 단하천연丹霞天然(736~824) 선사가 있습니다. 하루는 단하천연 선사가 운수행각을 할 때 어느 암자에서 쉬어 가는데, 때가 겨울철이라 방이 추워서 도저히 잠을 잘 수가 없었답니다. 그래서 법당에 모신 목불木佛을 도끼로 패서 군불을 땠습니다. 암주庵主가 새벽에 일어나 예불을 드리려고 보니 부처님이 안 계시므로 '이 어찌 된 일인고' 하고 도량을 찾아보았습니다. 그러다가 부엌 아궁이 속에서 불타고 있는 부처님을 보고는 객실 문을 열어젖히고 호통을 쳤습니다.

"이런 무뢰한이 어디 있는가?"

"어째서 무뢰한인가?"

"부처님을 패서 불을 때니 무뢰한이 아닌가?"

"나는 불을 때서 사리를 얻으려 함이었네."

"어찌 목불에서 사리가 나온단 말인가?"

"그럼 진불真佛이 아니지."

이 말에 암주의 눈썹이 다 빠져버렸다고 합니다. 그 순간 크게 깨쳤다는 것입니다.

'무뢰한'이라고 호통칠 때는 '부처님'을 불태웠다는 것이고, '목불에는 사리가 없다'고 할 때는 부처가 아닌 '나무토막'이라는 것입니다. 이러한 모순을 발견하고 알아차리는 순간이 바로 집착을 내려놓는 때입니다.

지금 당장 우리 삶 속에서 내 안의 모순을 발견하고 집착하는 마음을 탁 내려놓아야겠습니다.

나누고 싶은 마음밥상 ∞ 미역줄기장아찌

낯설고 물선 곳에서는 입맛을 잃기가 쉽습니다. 마음 같아서는 새로운 곳에서 새로운 음식을 맛보겠노라고 다짐해보지만, 막상 낯선 땅에 발을 들이면 쉽지 않은 일이 되고 맙니다. 또 공양 때마다 김치와 고추장이 간절해지는 것을 보면 몸에 밴 오랜 습관에서 벗어난다는 것 또한 쉬운 일이 아니라는 것을 알 수 있습니다.

이럴 때를 위해 고추장을 볶아서 준비해보세요. 염분을 뺀 미역줄기를 하룻밤 따뜻한 곳에 펼쳐 꾸덕하게 말린 다음 볶은 고추장과 함께 넣고 섞어주면 겨울철 별미 미역줄기장아찌가 됩니다. 부재료로 당근이나 들깻가루, 버섯가루를 넣어 약간의 변화를 주어도 그만이고요.

미역줄기는 미역과 같이 섬유질이 풍부해 대장 운동을 활발하게 하여 변비 예방에 좋으며, 노폐물을 몸 밖으로 배출시키는 효능도 있습니다.

알아차리는
힘

천축산을 넘어가는 해가 가을빛으로 더욱 붉습니다. 아침저
녁으로 산사에는 제법 쌀쌀한 기운이 감돌고 있습니다. 그
래서인지 새벽의 맑은 기운이 가볍게 스며들어 산사를 더욱
청명하게 합니다.

천축산 봉우리에
붉은 해는 떨어지고
여명의 맑은 기운
선불장에 내려앉네

가을빛 산사에는

백일홍 흩어지고

텅 빈 숲 산새들만

춤추고 노래하네

'아, 가을이다!'라고 생각하거나, '산사의 아침 공기가 상쾌하구나' 하고 느끼는 것은 매우 쉽습니다. 하지만 매 순간 일어나는 나의 느낌과 생각을 관찰하며 알아차리기는 어렵습니다. 정진의 힘이 필요합니다.

힘을 얻는 비결은 그 힘을 알아차리는 데 있습니다. 이를테면 '나는 행복해' 하고 하루에도 몇 번씩 애써 의식하고 생각하고 참마음을 알아차리면 바로 행복해집니다.

의식이 깨어 있고 열려 있는 상태에서 현재에 집중하면, 내가 무슨 생각을 하고 무엇을 느끼는지 알아차릴 수 있습니다. 알아차리면 자신을 통제할 수 있습니다. 통제하는 것은 내 마음대로 조정한다는 뜻이 아니라 있는 그대로를 바라볼 수 있다는 의미입니다.

그러면 어떻게 해야 의식이 깨어날까요? 쓸데없는 망상이나 생각을 되돌릴 수 있는 방법은 오로지 일념으로 염불에 집중하고 화두에 집중하는 것입니다.

또 다른 방법은 잠시 생각을 멈추고 스스로에게 묻는 것

다정한 마음이 채운 한 그릇

입니다. '내가 지금 무슨 생각을 하고 있지? 무엇을 느끼고 있지?' 이렇게 자신에게 질문하는 순간 우리 의식도 깨어나게 됩니다. 왜냐하면 현재 시점으로 마음을 되돌려놓았기 때문입니다.

무언가를 진심으로 원하고 바랄 때, '지금 이 순간'을 의식해보세요. 지금 이 순간 나를 알아차리는 것이 참나를 찾아가는 길입니다. 진정한 힘은 그 힘을 알아차리는 데 있습니다. 바로 딱 깨어날 것입니다.

나누고 싶은 마음밥상 ∞ 들깨영양탕

병은 치료보다 평소 예방하는 것이 더 중요합니다. 계절에 맞게, 몸 상태에 따라 약이 되는 음식을 먹는 것이 얼마나 소중한 일인지, 여러분도 병을 얻고 나서 뒤늦게 후회하는 일이 없기를 바랍니다.

'건강을 챙긴다'는 말은 신체적인 것뿐만 아니라, 사물에 대한 바른 견해를 포함하는 정신적인 건강까지 아우르는 말입니다. 따라서 평소 식습관이 얼마나 중요한지를 바로 알고, 병을 고치는 일이 습관을 고치는 것과 다르지 않음을 깊이 새겨야 합니다. 계절이 바뀌면 낮과 밤의 기온차가 커지고 내 몸에도 변화가 따르므로 이때 특별히 건강에 유의해야 합니다. 사찰에서는 환절기에 질 좋은 들깻가루를 이용해 만든 국수, 찜, 주스 등으로 몸을 따뜻하게 관리하는데, 들깨에는 많은 영양분이 들어 있어 간절기 체력 보강에 도움이 됩니다.

다정한 마음이 채운 한 그릇

번뇌,
즉 깨달음

마음을 깨달은 사람을 부처라고 합니다. 부처님은 마음을 깨
달은 후 "생명이 있는 모든 존재는 다 깨달을 수 있다"고 희
망의 선언을 하셨습니다. 이처럼 부처님의 가르침은 우리로
하여금 마음을 깨닫게 하는 데 있습니다.

　부처의 세계는 저 멀리 있지 않습니다. 마음을 깨닫는 일
이 저 먼 세계의 이야기가 아니라는 말입니다. 한마음 어리
석으면 중생이요, 한마음 깨치면 부처라고 했습니다. 부처와
중생의 세계, 깨달음과 번뇌의 세계는 함께 있습니다.

　수행자여!
　바라밀은 깨달음의 저쪽 언덕에 도달한다는 뜻으로 부

처를 이룬다는 말인데, 이는 생生과 멸滅을 떠나는 것이다. 경계에 집착하면 생멸이 일어나니 잔잔한 물에 거친 물결이 이는 것과 같다. 이를 중생의 삶이라고 한다. 경계를 떠나면 생과 멸이 없으니 잔잔한 물의 흐름이 언제나 자유로운 것과 같다. 이를 부처의 삶이라고 한다.

수행자여!

범부가 부처이며, 번뇌가 깨달음이다. 앞생각이 어리석으면 범부지만, 뒷생각에 깨달으면 부처이다. 앞생각이 경계에 집착하면 번뇌지만, 뒷생각이 경계를 벗어나면 깨달음이다.

육조혜능 대사의 사자후입니다. 아무리 극락세계에 있다 할지라도 번뇌의 마음이 일어나면 그곳이 지옥이고, 또 지옥에 있다 할지라도 보리심이 일어나면 극락이 됩니다. 파도가 잠자면 물이 되고, 물이 흔들리면 파도가 되는 것입니다. 이것은 부처가 어두워지면 중생이 되고, 중생이 깨치면 바로 부처인 것과 같습니다.

번뇌즉보리煩惱卽菩提란 "깨치지 못한 중생의 어리석은 견해로 보면 미망迷妄의 번뇌와 깨달음의 보리가 다르지만, 깨친 입장에서 보면 번뇌와 보리가 하나라 아무런 차별이 없다"는 말입니다. 번뇌가 일어날 때마다 그 마음을 살펴서 정진하여 깨달음을 얻는다면, 번뇌는 더 이상 번뇌가 아니라 깨달음의 밑거름이 될 것입니다. 번뇌가 일어날 때마다 공부의 기회로 삼아 깨달음을 얻으니, 번뇌가 곧 깨달음입니다.

나누고 싶은 마음밥상 ∞ 당근수프

당근의 주황빛은 베타카로틴이라는 성분 때문에 시각적으로 드러나는 색입니다. 이 성분은 피부를 곱게 하고 시력을 보호하며 피로회복에 도움이 됩니다.

우리는 맛을 보지 않고 음식의 빛깔을 보는 것만으로도 맛에 대해 평가를 하거나 그 색과 관련된 여러 가지 개인적 경험을 떠올리곤 합니다. 그리고 그러한 경험은 다시 학습되어 우리 마음속에 저장됩니다.

경험은 때론 지혜를 일깨워주고 새로운 길을 제시합니다. 경험이 지혜가 되기 위해서는 경험으로 인한 고통을 통해 잘못을 깨닫고 참회해야 합니다. 잘못으로 인한 과정을 인정하지 않고 참회하지 않는다면 결코 지혜를 얻을 수 없습니다.

소를
보았는가

하나의 등불이 꺼지고 온갖 소리가 멈추면 마음이 고요하고
편안해집니다. 이처럼 깨어 있을 때나 움직일 때나 한결같이
평상심으로 지낸다면 우리가 보는 것, 듣는 것마다 아름답지
않은 것이 없을 것입니다.

보는 것마다 환희롭고, 듣는 것마다 기쁘니 삼라만상이
모두 부처님처럼 보입니다. 이렇게 참마음을 들여다보면 바
깥 경계는 그대로 부처의 세계입니다.

가나 오나 시시처처 빛이요 깨달음이니
삼라만상 두두물물 자비의 화신불이네
한가위 보름달은 만중생을 두루 비추고

다정한 마음이 채운 한 그릇

산승의 마음달은 스스로를 환히 밝히네

한 생각 돌이켜 참마음을 찾고 보면
보고 듣는 육진경계 깨달음의 모양이네
마음으로 스스로를 환하게 비추면
그대로의 참마음은 부처님의 그림자네

'하루 일하지 않으면 하루 먹지 않는다'는 중국 선종의
전통을 바로 세운 백장회해 선사 문하의 상관 선사가 하루
는 제자와 함께 쉬고 있었습니다.

가만히 있던 선사가 느닷없이 제자에게 물었습니다.

"자네는 소를 보았는가?"

"네, 보았습니다."

"그렇다면 그대는 소의 왼쪽 뿔을 보았는가, 오른쪽 뿔을
보았는가?"

제자가 대답하지 못하고 머뭇거리자 선사가 말했습니다.

"보는 것에는 좌우가 없는 법이라네."

이 이야기는 역대 조사들의 법맥과 법어를 수록한《전등
록傳燈錄》제9권에 나오는 내용으로, 흔히 선어록에 등장하는
'소'는 부처님을 상징하는 경우가 많습니다.

새로운 세상을 여행하거나 새로운 사람을 만나면 설레고 흥분됩니다. 하지만 진정으로 새로운 것을 보았는지, 정확하게 보았는지는 잘 모를 일입니다. 정확하게 보는 법은 사물의 본질을 보는 것인데, 분별심을 내려놓지 않으면 사물의 본질을 정확하게 보기란 어렵습니다.

산을 보더라도 산의 본질을 보아야 산이 내가 되고, 내가 산이 될 수 있습니다. 사물의 본질을 정확하게 보지 못할 때 분별이 생기고 다툼이 생기게 됩니다. 삼라만상과 하나가 되었을 때 세상사의 진실을 알 수 있고, 참마음의 본질을 발견할 수 있습니다.

"번뇌즉보리煩惱卽菩提! 번뇌가 곧 보리, 깨달음이고, 깨달음이 곧 번뇌입니다."

나누고 싶은 마음밥상 ∞ 옻영양밥

성질이 따뜻하여 한방에서 자주 쓰이는 옻은 현대에 와서는 음식에 넣어 먹는 경우가 많습니다. 뼈에 영양분을 주어 관절염에 좋을 뿐만 아니라 어혈을 삭히는 데에도 좋습니다. 반면 혈압이

다정한 마음이 채운 한 그릇

높거나 옻에 예민한 사람은 피부염을 일으킬 수도 있으니 식재료로 사용할 때는 특히 조심해야 합니다.

시시각각 일어나는 우리의 마음도 자각을 하고 있을 때는 자신을 보는 좋은 도구가 되지만, 그렇지 못할 경우에는 그 생각이 스스로를 해치는 독이 되기도 합니다.

식습관에서 중도가
필요한 이유

"눈이 보인다. 귀가 즐겁다. 몸이 움직인다. 기분도 괜찮다.
고맙다. 인생은 참 아름답다."

《홍당무》의 저자 쥘 르나르Jules Renard(1864~1910)의 매
일 아침 기도문입니다. 어려서부터 몸이 허약했던 쥘 르나
르는 동화에서처럼 자신을 편애하는 가족 간의 갈등 속에서
늘 사랑에 목말라 하면서도 이렇게 하루를 감사함으로 시작
했다고 합니다. 분명 스스로 깨닫고 진정한 자유를 얻은 사
람이란 생각이 듭니다.

우리도 아침에 일어나 매일 10분씩이라도 감사의 마음으
로 하루를 시작해보는 건 어떨까요? 작고 소소한 감사함이
하루를 풍요롭게 만들고 또 시작하는 순간부터 자비행을 실

다정한 마음이 채운 한 그릇

천할 수 있는 첫 단추가 될 것입니다.

우리가 항시 감사하는 마음을 갖고 있으면 본능에 가까운 식탐일지라도 마음 틈 사이로 자라나기가 어렵습니다. 음식에 대한 탐착은 어떠한 사물이나 대상에 대해 일으키는 탐심보다 쉽게 생각하여 스스로가 욕심이라 자각할 수 없을 정도로 거의 무의식적으로 반응한다고 볼 수 있습니다. 늘 깨어 있지 않으면 놓치기 쉬우며 알고도 실천하기 어려운 일입니다.

또한 자신을 바로 보지 못하고 시각적인 형상에만 집착한다면 끊임없이 다이어트와 폭식 사이를 오가는 식습관으로 일생을 먹는 것의 노예로 살아갈 수밖에 없습니다. 물론 몸의 건강도 장담할 수 없을 테고요.

부처님 재세 당시에도 탐심 많은 비구가 걸식할 때 부유한 신도의 집을 알고 찾아가 맛있는 음식을 얻으려 해서 그 방편으로 계를 제정했습니다. 자신을 위해 맛이 좋고 영양이 많은 음식을 시주자에게 달라고 하는 행동을 계율로써 금지한 것입니다. 다만 병든 이에게는 금하는 음식 없이 허용하고 몸을 보하라고 일렀습니다.

이에 관한 구체적인 내용은 《증일아함경》 제12권 〈삼보품三寶品〉에서 살펴볼 수 있습니다.

만일 어떤 비구가 세 가지 법을 성취하면 현재 세상에
서 쾌락을 누릴 수 있고, 용맹스럽게 정진하여 번뇌를 다
끊어 없애게 될 것이다. 어떤 것이 그 세 가지인가? (중략)
모든 감각기관이 고요하고 음식을 절제할 줄 알며 거닐
기를 잊지 않는 것이다. (중략) 어떻게 비구는 모든 음식을
절제할 줄 아는가? 비구가 음식이 어디로부터 온 것인가
를 생각하여 살찌고 깨끗한 것만을 구하지 말고, 다만 몸
의 사대四大를 부지하고 보전하기만을 생각하되 '나는 지
금 오래된 병을 고치고 다른 병이 생기지 않게 하기 위해
서이며, 몸에 기운이 생기게 하여 도를 닦아 범행梵行이
끊이지 않게 하기 위해 음식을 먹는다'고 하느니라. 비구
도 또한 그와 같아서 음식을 절제할 줄 알아야 한다.

불교에서 수행한다고 함은 곧 중도를 지키는 일입니다.
식습관의 중도 역시 어느 쪽으로도 치우치지 않는 것이니,
그 의미를 다시금 잘 새겨보고 때에 따라 유연하게 대처하
는 지혜로움을 함께 겸비해나가야 하겠습니다.

다정한 마음이 채운 한 그릇

나누고 싶은 마음밥상 ∞ 감자부각

감자는 예부터 흉년으로 나라에 기근이 심할 때 주식 대신 먹을 수 있는 대표 농작물로, 산속에 자리 잡은 사찰에서도 유용하게 사용해온 식재료입니다. 늦여름에 수확한 감자는 실온에 저장해두었다가 겨울에서 봄까지 여러 음식에 재료로 사용합니다.

많은 양을 썰고 데쳐서 손으로 일일이 널어주고 뒤집어가며 공을 들인 말린 감자를 튀겨내면 하얀 눈송이같이 소담스럽습니다. 무엇보다 정성스레 손질해서 튀긴 감자부각은 재료 본연의 고소하고 담백한 맛이 일품입니다. 사찰에서는 법회가 있거나 삭발날 등 특별한 날 상에 올리는 겨울 별미 중 하나입니다. 가끔은 튀겨서 고추장 양념에 버무려 찬으로 내기도 합니다.

가을볕 대청마루에는 쉬는 날 없이 고추, 연잎, 가죽나물 등 부각으로 만들 수 있는 재료들이 햇살을 즐기고 있습니다.

눈이 오면
오는 대로

이틀 동안 내린 눈으로 지금 불영사는 설국의 천지로 아름답기 그지없습니다. 도량의 전각들은 하얀 눈을 지붕에 잔뜩인 채 줄지어 우뚝 서 있습니다. 화단의 크고 작은 나무들도 눈을 이고 눈꽃을 피우고 있습니다. 불영산사를 둘러싼 천년 세월의 금강송도 눈꽃을 피웠습니다.

한밤의 고요한 풍광을 지나 아침 햇살이 대지를 비추면 또 다른 감동을 선사합니다. 햇빛이 내려앉은 곳은 보석을 박아둔 것처럼 반짝이고, 그늘진 곳은 저대로 설탕을 뿌려놓은 듯합니다. 흑백의 수묵화를 보는 듯 그윽한 기운이 불영 계곡에 가득합니다.

다정한 마음이 채운 한 그릇

깊은 밤은 고요하고 어둠 속에 한적한데
설국 정원 하얀 세상 대낮처럼 밝아 있네
천년 세월 금강송이 눈꽃으로 화답하니
정진하는 스님들의 마음눈을 씻어주네

설국의 밤하늘은 별빛처럼 깨어 있고
잔잔한 바람결에 눈꽃송이 설법하네
신라 고찰 불영산사 고요 속에 적적한데
눈 푸른 운수납자 성성하게 깨어 있네

눈이 오면 눈이 오는 대로 아름답고, 눈 녹은 검푸른 숲이 바람에 흔들리면 그 모습 그대로 또 아름답습니다. 이렇듯 삼라만상의 모든 현상은 쉼 없이 매 순간 변화하기에 더없이 아름다운 것이 아닐까요.

인연 따라 생겨나고 다시 인연 따라 없어지는 것, 이렇게 생겨나고 사라지는 현상을 변화라고 하고 또 인연이라고 합니다. 서로에게 영향을 주며 생겨나기도 하고, 서로에게 영향을 주며 사라지기도 하니까요. 길게 보고 넓게 보면 생겨나고 사라지는 것은 아주 자연스러운 현상일 뿐입니다.

하지만 안타깝게도 우리는 길게 보지 않고 넓게 보지 않습니다. 눈앞에 펼쳐지는 그 순간의 현상에만 집착합니다. 생겨나는 것을 태어난다고 하고 사라지는 것을 죽는다고 하여 기뻐하고 슬퍼합니다. 또 연인들은 만나고 헤어지면서 사랑이 변했다고 하며 눈물을 흘립니다. 이러한 변화를 '무상無常'이라고 하면서 인생 허무를 이야기하며 허무주의나 염세주의로 빠집니다.

생겨나고 사라지는 것에 대한 '인연'의 원리와 '무상'의 법칙을 깨달으면 우리는 달라질 수 있습니다. 그것을 모르면 허무한 인생을 말하겠지만, 이것을 알면 인생은 허무한 것이 아니라 역동적이고 희망적이라는 사실을 발견할 수 있습니다.

삼라만상의 모든 현상은 쉼 없이 변화하기 때문에 세상 모든 존재가 아름다운 것입니다. 그런 눈으로 바라보면 우리 인생도 희망으로 가득하게 될 테고요.

나누고 싶은 마음밥상 ∞ 장 담그기

예로부터 정월달 길일을 택해 간장을 담그면 변질이 덜 되고 맛이 좋다고 했습니다. 불영사에서도 정월이 다가오면 장 담글 준비를 합니다.

동지 아래 음력 12월 초사흗날 메주를 걷어 아랫목에 군불을 지피고 한 달 반가량 메주를 잘 띄웁니다. 서늘한 곳에서 2~3년간 묵혀 간수가 빠진 천일염을 준비하고, 참나무를 잘라 아궁이에서 참숯을 만들면 어느덧 간장 담글 준비는 끝이 납니다.

메주를 솔로 문질러 씻은 후 잘 말리고 작년에 농사지은 고추와 마른 대추를 더하고 불영계곡 청정수를 부어주면 간장 담그기가 완성됩니다. 이로부터 30~40일 후 장 가르기를 하기 전까지는 넓은 통에 담가두었다가 메주와 간장을 분리하면서 항아리로 옮겨 담습니다.

막 따온 신선한 재료를 오랜 세월 숙성시킨 장과 함께 버무리면 맛도 좋고 영양도 높고, 거기다 묵묵히 견뎌온 시간만큼 우리들 마음까지 편안하게 해줍니다.

5

나
누
다

새소리 청명하여 불영 도량 가득하고
높고 낮은 골짝마다 물안개 피어나네
청향헌에 홀로 앉아 매화 띄운 차 한잔
환희로움 마음 가득 온 도량을 물들였네

밤하늘 수놓은 수많은 별들이
오늘은 서로에게 정답게 말 건네네
겨울밤 깊을수록 정은 더욱 깊어가고
내 마음 어느새 그들과 하나라네

있는 그대로의
자연

자신에 대한 지극한 연민이 있어야 타인에게 연민의 마음이 일어나고, 자신에 대한 지극한 믿음이 있어야 타인에게 신뢰가 자연스럽게 생겨납니다. 또한 자신에 대한 지극한 사랑이 있어야 타인에 대한 조건 없는 사랑이 이루어지며, 자신에 대한 지극한 자비심이 있어야 타인에 대한 끊임없는 자비심이 생깁니다.

자비심慈悲心에서 '자'는 사랑의 마음으로 중생에게 끊임없이 즐거움을 주는 것, 진실한 우정을 뜻합니다. '비'는 불쌍히 여기는 마음으로 중생의 괴로움을 없애주는 것, 즉 공감이나 동정, 연민으로 함께 슬퍼함을 뜻합니다.

자신에게 끊임없는 자비를 베풀고 타인에게도 연민의 마

음과 믿음, 사랑으로 이어가야 합니다. 생명 있는 모든 존재들을 자기 생명처럼 존중하고 절대 평등한 자비로써 대해야 합니다.

우리는 일상을 살면서 여러 가지 생각을 합니다. 하지만 자기 생각에 갇혀 실체를 바로 보지 못하고, 때때로 다른 사람과 견해 차이를 일으키며 시시비비 갈등을 빚기도 합니다.

있는 그대로 보고 즐길 줄 알아야 합니다. 매 순간 우리 자신의 진실한 마음과 함께 머물러야 실수가 적고 자신의 작은 행위에도 책임을 질 수 있습니다. 우리 안에는 자비의 마음이 자리 잡고 있기 때문입니다.

봄에는 봄을 즐기세요. 봄 햇살을 그대로 느껴보고, 땅을 밀어 올리며 움을 틔우는 들풀들을 가만히 들여다보고, 나뭇가지에 하루가 다르게 새잎을 밀어 올리는 모습도 보고, 저기 먼 데 가까운 데 나무줄기에 물오르는 소리도 귀 기울여 들어보세요. 작지만 분명 자분자분 소리가 들릴 것입니다. 봄이 오는 소리입니다.

봄빛은 따뜻하고
청향헌 뜰 앞에도
매화꽃 만개했네

다정한 마음이 채운 한 그릇

봄빛이 텅 비면

고요한 도량에도

매향만 남겠구나

  도시에 살기 때문에 봄을 느끼기 어렵다고요? 그러면 책
상 위에 놓인 화분을 봐도 되고, 건물 뒤 화단에 있는 나무들
을 봐도 좋습니다. 온 땅이 아스팔트로 뒤덮여 있다고는 하
지만 도시에도 곳곳에 흙이 있습니다. 다만 우리가 눈여겨보
지 않았을 뿐입니다. 보려고 하지 않았기에 볼 수 없는 것입
니다.

  어느 곳이든 상관없습니다. 뿌리내린 식물과 꽃을 보면
서 있는 그대로의 자연을 느껴보세요.

나누고 싶은 마음밥상 ∞ 된장동치미무장아찌

안거를 끝내고 순례길을 떠날 때 스님들은 낯선 곳에서 건강을
잃지 않도록 장아찌를 함께 챙기곤 합니다. 이때 보관 용기에서
국물과 냄새가 새어나오지 않게 하고 맛과 상태가 변질되지 않

도록 유의해야 합니다.

어디를 가든 먹는 것이 정갈하면 몸과 마음이 함께 개운해지는 법입니다. 동치미 무의 아삭한 맛이 된장과 어울려 위를 안정시켜주어 멀미나 소화불량 등에도 좋습니다.

사찰 음식 중에서도 장아찌는 소박한 한 끼를 위한 참 좋은 도반입니다.

다정한 마음이 채운 한 그릇

오늘도
감사합니다

살아가면서 감사함을 느끼기란 쉽지 않습니다. 물론 누구나 자기를 낳아준 부모님께 감사한 마음을 갖고 있겠지만, 이 역시 말뿐인 경우가 흔합니다. 감사함은 만족을 아는 지족知 足의 삶에서 가능한 일입니다.

우리가 세상을 살아가는 데는 수많은 사람과 보이지 않는 무수한 존재들의 도움이 필요합니다. 그런데 우리는 진실로 감사하다는 생각과 마음, 정성을 잊고 살아갑니다. 공기가 있고 물이 있어 우리가 생명을 유지할 수 있음에도 그 감사함을 잘 모르고 지냅니다. 늘 가까이 있고 풍부하기 때문에 부족함을 모르고 고마움을 모릅니다.

부모님에 대한 감사의 마음도 마찬가지입니다. '내가 원해서 태어났나?', '누가 낳아달라고 했나?', '낳았으면 잘 키워야지 왜 이렇게밖에 못 해?'라는 마음으로 원망하고 미움이 가득 찬 경우도 많습니다. 내면에서 감사의 마음이 우러나올 때 그 마음은 자신을 무한한 행복의 길로 안내하는 에너지가 됩니다.

좋은 소식이 있다. 사람들이 당신에게 주입한 믿음보다 당신 자신의 생각이 더 중요하다고 결심하는 순간, 풍요를 향한 탐험에 가속이 붙는다. 성공은 외부가 아니라 내면에서 나온다.

미국의 철학자이자 시인인 랄프 왈도 에머슨Ralph Waldo Emerson(1803~1882)의 말입니다.

내가 살아가는 이 삶은 온전히 내 것이기 때문에, 일단 이러한 삶을 살 수 있도록 우리를 낳아준 부모님께 먼저 '감사합니다'라는 마음을 내어야 합니다. 낳아준 부모를 원망하고, 도움을 주지 않는다고 친구를 미워하고, 세상을 원망하는 것만큼 어리석은 짓은 없습니다. 그리고 오늘 이 시간 역시 내 삶의 일부라는 사실을 분명하게 알아야 합니다.

매일 잠자기 전 '감사합니다, 감사합니다, 감사합니다…'

다정한 마음이 채운 한 그릇

를 염불처럼 백 번씩 외워보세요. 백 번을 세기가 어렵다면 시간을 정해 10분간 말해보세요. 내 삶이 매일 조금씩 달라지는 것을 느끼게 될 것입니다.

내 안에서 뜨거운 무언가를 발견할 수 있고, 눈물을 흘리게 될지도 모릅니다. 이는 진정으로 자신의 삶을 살고 있다는 증거입니다. 지금 내 모습, 있는 그대로 만족하고 있다는 증거입니다. 자신의 참마음을 발견하는 순간입니다.

나누고 싶은 마음밥상 ∞ 봄나물찌개

갖가지 봄나물들이 어우러지는 계절입니다. 여러 가지 나물을 모둠으로 향긋한 찌개를 끓여봅니다. 봄나물은 여린 잎일 때는 쌈이나 생채나물로 주로 먹고, 좀 더 자라면 숙채나물이나 국의 재료로 사용합니다. 거친 느낌이 있을 정도로 자라면 부침, 탕, 장아찌로 조리하면 적당합니다.

더러는 봄나물을 두고두고 먹으려고 데쳐서 냉동 보관하기도 하는데, 이 경우 수분이 빠져 질겨지고 변색돼 식감이 떨어집니다. 재료에 따라 그대로 말리거나 살짝 데쳐 말려서 건나물로 만들어두면 겨울철에도 유용하게 먹을 수 있습니다.

좋은 먹거리는 제철 식재료와 천연 양념을 사용하는 것이 우리 몸에도 이롭습니다. 제철에 맞게, 내 몸을 이롭게 바로 아는 것이 지혜입니다. 계절을 통해 또 한 발짝 나아갑니다.

다정한 마음이 채운 한 그릇

밥 한 끼를 나눈다는 것은
내 마음을 내어주는 것

자비의 마음이 지극한 한 수행자가 있었습니다. 그는 언젠가 기어이 부처가 되리라는 서원을 세우고 있었습니다. 그러던 어느 날, 수행을 하고 있는데 난데없이 비둘기 한 마리가 비명을 지르며 황급히 그의 품속으로 날아와 숨으며 겁에 질려 온몸을 바들바들 떨었습니다. 곧이어 뒤따라 날아든 매가 수행자와 그 품 안에 있는 비둘기를 보더니 나뭇가지에 앉아 수행자에게 이렇게 말을 했습니다.

"수행자여! 그 비둘기를 주시오. 그것은 내 저녁거리요."

그러자 수행자가 답을 합니다.

"네게 내줄 수 없다. 나는 부처가 되려고 서원을 세울 때 모든 중생을 구하겠다고 결심을 했다."

그러자 매가 다시 말을 합니다.

"당신은 참으로 어리석소이다. 모든 중생 속에 나는 들어 있지 않소? 당신 때문에 비둘기는 살 수 있을지 몰라도 나는 굶어 죽게 된단 말이오. 어찌 나에게는 자비를 베풀지 않고 오히려 내 먹이를 빼앗는단 말이오."

다시 수행자가 말을 합니다.

"어쨌든 비둘기는 줄 수 없다. 무슨 다른 방법이 없겠느냐? 비둘기 대신 너는 어떤 것을 원하느냐?"

"비둘기 무게만큼의 살코기를 주시오. 그러면 비둘기도 살고 나도 살 수 있소."

매가 대안을 제시하자 수행자는 생각합니다.

'살코기라면 산목숨을 죽이지 않고서는 얻을 수 없다. 그렇다고 하나를 구하기 위해 다른 목숨을 죽게 할 수는 없지 않은가. 차라리 내 허벅지 살을 잘라주고 비둘기를 살리자.'

이렇게 생각한 수행자는 저울을 가져와 한쪽에 비둘기를 얹고 다른 쪽에 자신의 허벅지 살을 베어 얹었습니다. 허벅지 살의 양을 비슷하게 놓았다고 생각했는데 어찌 된 일인지 비둘기가 훨씬 무거웠습니다. 그래서 다른 쪽 허벅지 살을 베어 얹었습니다. 그래도 저울은 수평이 되지 않았습니다. 할 수 없이 수행자는 엉덩이, 양팔, 양다리를 다 베어 얹

다정한 마음이 채운 한 그릇

었으나 저울은 계속 비둘기 쪽으로 기울어 있었습니다. 수행자는 마침내 자신의 온몸을 저울대 위에 올려놓았습니다. 그제야 비로소 수평을 이룬 저울을 보면서 수행자는 마음속으로 빌었습니다.

'모든 중생은 고해에 빠져 있다. 나는 그들을 건져내 구해야 한다. 이 고통은 중생들이 받는 고통의 십육 분의 일에도 미치지 못하리라.'

부처님의 전생 이야기를 담은 《본생경本生經》에 나오는 이야기입니다. 이것은 생명의 본성인 불성의 존귀함을 깨우치는 말씀으로, "온 생명은 모두 똑같이 귀한 존재이니, 생명의 가치는 인간이나 동물이나 미물까지도 다를 바가 없다"는 뜻입니다. 즉 모든 생명은 그 자체로 존귀한 것입니다.

우리도 남에게 자비를 베푼다고 생각할 때 이와 같이 내 중심에서 상대방을 낮춰 동정을 베풀고 있지는 않나요? 내가 더 많이 가졌으니 조금 나눠줄 수 있는 여유에 대해 '자비를 베푼다'고 생각하지는 않는지요.

우리 주위를 둘러보면 밥 한 끼 해결하기 힘든 사람들이 많습니다. 길을 가다가 추위에 떨고 있는 걸인을 보면 어떤 마음이 드나요? 그도 나와 같은 처지라는 마음으로 밥값을 선뜻 내어주는 일, 가까운 편의점에 들러 따뜻한 컵라면에

김밥을 사서 쥐어주는 일, 더 나아가 나란히 앉아 함께 저녁을 먹는 것도 좋은 방법이겠지요. 이렇듯 밥 한 끼를 나눈다는 것은 내 마음을 내어주는 것과 같습니다. 이 역시 무외시 無畏施입니다.

사회적 약자나 소외되고 굶주림에 허덕이는 이들은 나와 다르지 않습니다. 다만 다르다고 분별하고 편애하는 마음만 있을 뿐입니다. 부처님께서는 우리의 본성이 누구나 착하고 선하다고 하셨습니다. 맛있는 음식을 배불리 먹으면 즐거움은 순간이지만, 남과 함께 나누는 행복을 알면 오랜 시간이 즐겁습니다. 마음이 행복해집니다.

베푸는 마음이 쌓여서 몸에 배면 일상이 행복해집니다. 그러한 습관은 세세생생 우리를 따라다닙니다. 실천행 없이 말과 생각에만 머물러 있는 것은 '빈 공양'과 같습니다. 진심에서 우러난 평등한 마음이 자비 공양의 정신입니다.

나누고 싶은 마음밥상 ∞ 무밥

무를 많이 먹으면 속병이 사라진다고 합니다. 텃밭에서 직접 키

다정한 마음이 채운 한 그릇

운 무를 채 썰어 양념간장에 비벼 먹으면 그 맛이 일품입니다. 특히 기침이 심하거나 소화가 안 될 때 먹으면 효과가 탁월합니다. 무는 김치를 비롯해 즙, 적, 생채, 나물, 국 등 거의 모든 음식에 들어가는 뿌리채소로, 무가 안 들어간 요리가 있을까 싶을 정도로 우리 음식과 궁합이 잘 맞는 식재료입니다.

밥 한 끼에는 자연의 공덕과 농부의 정성, 공양을 올린 사람의 자비로움이 깃들어 있다고 했습니다. 그러하니 수행자인 스님들이 발우공양을 일상에서 실천하는 것입니다.

여러분 가정에서도 가끔은 발우공양을 실천해 공양이 오기까지의 공덕과 공양에 깃들어 있는 지극함을 되새겼으면 합니다.

봄비처럼

어제 오후부터 내리기 시작한 봄비가 아직까지 이어지고 있습니다. 이제 이 봄비로 도량 한 켠에 쌓여 있던 눈들도 녹아 내리겠지요. 조금은 아쉬움이 있지만 지금 이 순간은 이대로 너무 아름답습니다.

> 생각은 생겨났다 머물다 변하여 사라지고
> 몸은 태어나고 늙고 병들어 죽으며
> 국토도 생겨났다 머물다가 파괴되어 공으로 돌아가니,
> 이러한 열두 가지 일들이 매우 기특하도다.
> 念上生住異滅 身上生老病死 國土成住壞空
> 此十二種事 甚能奇特

다정한 마음이 채운 한 그릇

《직지심경直指心經》에 나오는 내용입니다. 우리가 일으키는 생각은 영원하지 않습니다. 생각이 일어나면 머물다가 달라지고 소멸합니다. 누구의 어떤 생각도 일어났다가 사라지는 과정을 거칩니다. 나쁜 생각, 좋은 생각, 사랑하고 미워하는 마음도 이와 같이 흘러갑니다.

생명을 가진 존재는 태어나면 늙고 병들어 죽습니다. 누구든 예외가 없습니다. 우리가 사는 세상은 쉼 없이 변화를 거듭합니다. 존재하는 모든 것은 인연 따라 모여 이루어지고 잠시 머물러 있다가 무너지고 파괴되어 사라집니다. 이 도리를 바로 알면 "변하지 않는 실체가 있다"고 믿는 '나'에 대한 집착과 '사물'에 대한 집착을 내려놓을 수 있습니다. 비웠을 때 채워지고 놓아버릴 때 얻을 수 있습니다.

부처님이 왕위를 버리고 출가수행을 택한 이유도 바로 여기에 있습니다. 인간을 포함한 생명 있는 모든 존재는 인연에 의해 태어나고 만나고 헤어지는 아픔을 겪으며, 또 그렇게 살아갑니다. 부처님은 생로병사 고통의 원인을 밝히기 위해 출가하셨습니다.

나를 괴롭히는 모든 것에는 반드시 원인이 있습니다. 그 원인을 알기 위해서라도 이 순간에 머물러야 합니다. 아무리 바쁜 일상이지만 긴장을 풀고 잠시 모든 생각을 멈추고 스스로를 바라보는 연습을 꾸준히 해야 합니다. 호흡으로 마음을 가다듬으며 있는 그대로 진실을 볼 수 있어야 합니다.

이 지구상에 살아 있는 모든 존재는 우리와 똑같은 감정으로 불안을 느끼고 고통 속에 살아갑니다. 고통이나 불안이 어디서 왔는가를 알아야 번민과 아픔에서 벗어날 수 있습니다. 그래야 타인에 대한 연민도 가질 수 있습니다.

자기 자신에 대한 집중과 열린 마음으로 타인을 배려하고 연민의 마음을 일으킨다면 나도 행복하고 우리가 사는 세상도 행복해질 수 있습니다. 우리는 이미 아름다운 지구별 정토에 머물고 있습니다.

나누고 싶은 마음밥상 ∞ 연근튀김

괴롭지도 즐겁지도 않은 느낌이란 만나고 떨어지고 싶은 욕구가 둘 다 없다는 것을 뜻합니다. 그 괴롭지도 즐겁지도 않은 느낌에는 무명無明(어리석음)의 잠재적 성향이 깃들어 있습니다.

시커먼 진흙 속에 참으로 무심無心하게 연근이 뿌리내리고 있습니다. 연근을 갈아서 생으로 먹으면 갈증 해소에 좋고 코피를 자

다정한 마음이 채운 한 그릇

주 흘리는 어린이에게 좋다고 합니다.

하지만 오늘은 불영지의 연근을 따서 색다르게 튀김을 해봅니다. 먼저 연근은 껍질을 손질해서 깨끗하게 씻은 후 식초를 조금 넣은 찬물에 5분 정도 담가둡니다. 그러고 나서 물기를 뺀 연근을 감자전분에 살짝 묻혀서 기름에 튀겨내면 바삭바삭한 식감으로 호불호 없는 간단한 반찬 겸 간식이 됩니다.

라오스의
탁발 수행

라오스를 비롯하여 남방불교 국가에서는 스님들이 줄지어 거리에서 탁발하면 대중들이 스님들께 공양을 올리는 풍습이 있습니다. 탁발은 부처님 재세 당시에도 행해진 수행자의 가장 기본적인 수행법입니다. 스님들은 부자나 가난한 집을 막론하고 차례로 일곱 집을 돌면서, 불자들이 보시하는 대로 공양을 받아 사원으로 돌아와 모두 함께 공양합니다.

이러한 모습을 가장 잘 표현한 경전이 《금강경》입니다. 일상적인, 여법한 바로 그 모습이 깨달음의 전부라고 말하고 있습니다. 라오스에서는 이러한 걸식의 전통을 지금까지 그대로 실천하고 있습니다.

라오스 스님들은 새벽 예불을 마치면 가사를 입고 맨발

다정한 마음이 채운 한 그릇

로 탁발에 나섭니다. 한 손에 발우 한 개만을 들고 매일 아침 거리로 나와 한 줄로 지나갑니다. 사원마다 몇백 명의 스님들이 저마다 수행을 하고 있지만 음식은 탁발에만 의지해서 공양을 합니다. 그래서 라오스나 인도의 사원에는 공양간이 따로 없습니다.

라오스에 간 우리 일행도 스님들께 공양 올리기 위해 새벽길을 나섭니다. 한 줄로 거리에 앉아 준비한 공양물을 수백 명의 스님들 한 분 한 분께 정성을 다해 올리는 모습은 그 자체로 장관입니다. 척박하고 어려운 상황 속에서도 흔들림 없이 수행하며 부처님 법을 이어온 스님들께 온 정성을 다해 공경과 경의를 표합니다. 이 청정 공양을 올린 인연공덕으로 우리가 사는 사바세계가 정토가 되기를, 우리가 함께 살아가는 지구촌에 다시는 전쟁이 없기를, 생명 가진 모든 존재들이 진실로 행복하기를 간절히 발원합니다.

오후에는 시내에 있는 사원들을 참배하고, 루앙프라방 왕궁박물관에 들렀습니다. 왕궁박물관은 과거 실제로 왕궁으로 사용되던 곳으로, 지금은 지난 왕조의 유물과 종교 유물을 전시하는 국립박물관으로 사용하고 있습니다.

그날 밤 몽족이 여는 거대한 야시장을 둘러봤습니다. 루앙프라방에서 가장 큰 야시장으로, 몽족의 전통 공예품과 수

공예 스카프, 목각 제품 등을 두루 볼 수 있었습니다. 이곳은 매일 해가 지면 야시장이 열리고 다시 새벽에는 스님들의 탁발 거리로 변합니다. 덕분에 라오스의 전통문화를 그대로 볼 수 있는 시간이었습니다.

라오스 국민에게는 불교문화와 의식이 생활 속에 스며 있는 듯합니다. 그들에게 불교는 삶과 떼어놓을 수 없는, 그 야말로 생활과 문화의 전부입니다. 맑은 심성을 지닌 라오스 사람들은 큰 평수의 집을 갖기 위해 애쓰지 않습니다. 좋은 차를 갖기 위해서도 애쓰지 않습니다. 그저 수행하고 보시하는 일상의 삶을 살아갈 뿐입니다.

나누고 싶은 마음밥상 ∞ 카레

나라마다 자연환경과 기후조건에 맞는 훌륭한 음식들이 있습니다. 그중 인도의 카레는 강황과 함께 여러 가지 향신료가 섞여 치매 예방에 탁월한 효과가 있으며 한국인들에게도 친숙한 식재료가 되었습니다.

카레는 만들기 간단하면서도 제철 채소를 사용해서 골고루 영

다정한 마음이 채운 한 그릇

양을 섭취할 수 있는 일품 건강 음식입니다. 여름에는 단호박, 완두콩 등을 더하고, 가을에는 고구마, 사과 등의 재료를 더해도 좋습니다.

불법佛法이 인도에서 중국을 거쳐 한국으로 들어와 우리 정서에 맞게 변화되고 지금의 간화선看話禪으로 정착한 것처럼, 음식 문화도 그와 같이 정착합니다. 지금 우리가 먹는 카레 역시 정통 인도 카레가 일본으로 건너가 변형을 거친 후 우리 입맛에 맞게 정착한 것입니다. 자기를 고집하지 않음으로써 자신을 지킬 수 있다는 진리를 또 하나 배웁니다.

자기를 이롭게
하는 것

"이 보 전진을 위해 일 보 후퇴한다"는 말이 있습니다. 나아
갈 때와 물러날 때를 아는 것을 말합니다. 이와 유사한 의미
를 지닌 고사성어로, 흙먼지를 일으키며 다시 돌아온다는 뜻
의 '권토중래捲土重來', 일부러 섶나무 위에서 자고 쓰디쓴 곰
쓸개를 핥으며 패전의 굴욕을 되새긴다는 뜻의 '와신상담臥
薪嘗膽'이 있습니다.

세상에 처할 때는 한 걸음 양보하는 것이 높다고 하나
니 물러서는 것은 곧 나아갈 밑천이요, 사람을 대할 때는
한 푼 너그러운 것이 복이라 하나니 남을 이롭게 하는 것
은 실로 자기를 이롭게 하는 바탕이다.

다정한 마음이 채운 한 그릇

《채근담》에 나오는 내용입니다. 자신을 반성하며 돌아보는 사람은 선행의 길을 연다고 했습니다.

공자의 제자 가운데 증자曾子는 이런 말을 했습니다.

"나는 매일 세 번씩 나 스스로를 반성한다. 남을 위해 일을 하면서 마음과 힘을 다했는지, 벗들과 사귀면서 성실했는지, 스승이 나에게 전수한 학문을 반복해 익히며 실행했는지를 반성한다."

그리고 송나라 때 서암사언瑞巖師彦(850~910) 선사는 매일 스스로를 향해서 다음과 같이 자문자답했다고 합니다.

"주인공아!"

"예."

"깨어 있는가?"

"예."

"남에게 속아서는 안 된다."

"예."

이처럼 스스로 깨어 있어서 자신의 마음을 잘 관찰하는 것은 참으로 지혜로운 행동입니다. 반성과 성찰을 통해 자신을 관찰하고 자신의 참마음을 찾는 것이 수행입니다.

한편, 보살의 수행에 있어서 '양보'와 '희생'은 어울리지 않는 말입니다. 양보의 사전적 의미는 '길이나 자리, 물건 따위를 사양하여 남에게 미루어 준다'는 뜻이며, 희생은 '다른 사람이나 어떤 목적을 위하여 자신의 목숨, 재산, 명예, 이익 따위를 바치거나 버린다'는 의미입니다. 그리하여 양보와 희생에는 상처가 남거나 대가를 바라는 경우가 많습니다. 대가에는 이익이 돌아온다거나 자기를 알아줘야 한다는 뜻이 내포되어 있기 때문입니다.

이렇듯 양보와 희생은 '다른 사람을 위한' 행동입니다. 그러나 보살의 삶은 다른 사람을 위하는 것이 궁극에는 자기 자신을 위한 것임을 자각하기 때문에 양보나 희생이 어울리지 않습니다. 그저 반성과 성찰을 통해 내 마음을 잘 관찰하는 것, 그것이 깨달음으로 가는 수행 길입니다.

나누고 싶은 마음밥상 ∞ 쑥부각

쑥은 '쑥쑥 자란다' 하여 그 이름이 붙여졌다고 합니다. 불영사에서는 오월 단오가 가까워지면 도량 주변의 쑥을 뜯어 가마솥에 푹 삶아 떡을 합니다.

이른 봄의 쑥은 여리고 향이 좋아 쑥국, 쑥겉절이, 쑥전으로 좋

다정한 마음이 채운 한 그릇

으며, 좀 더 자라면 쑥버무리, 쑥튀김, 쑥부각을 해 먹습니다. 그러다가 단오 즈음이 되면 쓴맛이 강해지므로 쑥가래떡, 쑥개떡, 쑥인절미 등 떡 재료로 사용하고, 7월에는 쑥을 줄기째 말렸다가 뜸이나 모깃불, 천연염색 등에 사용합니다.

쑥은 약으로도 효능이 매우 뛰어나서 몸 안의 냉기와 습함을 없애주고 체질을 개선시켜주며 몸을 따뜻하게 하여 배가 아프거나 몸이 찰 때 냉증을 몰아내는 탁월한 효과가 있습니다.

찹쌀풀을 발라 말렸다가 기름에 튀기는 부각은 김, 연근, 우엉, 고추뿐만 아니라 쑥, 취, 머위, 제피잎 같은 갖은 봄나물로도 만들 수 있는데, 특히 쑥부각은 튀겨내면 고소하고 향긋한 맛을 느낄 수 있습니다.

만족을 아는
사람

만물이 풍성하게 결실을 맺어 수확하는 가을입니다. 산과 들의 생명들이 겨울을 준비하고 스스로 몸을 움츠리지만, 이것이 세상을 풍성하게 만들어주는 비밀입니다. 산사의 가을은 그런 자연의 풍성함과 더불어 깊어가고, 스님들은 가을 속에 앉아서 본래 진면목을 찾아갑니다.

산월이 영지에 아득하게 빛나고
조석으로 솔바람 도량에 서늘하네
천년 전 드러난 천축의 진면목
산승은 이 밖에 또 무엇을 찾으리

다정한 마음이 채운 한 그릇

공적空寂하여 본래 한 물건도 없는데

그 어디에서 즐겁고 슬퍼함이 있으랴

달이 지니 샛별은 홀로 더욱 빛나고

가을은 풀벌레와 깨달음을 노래하네

하루하루 먹고살기 힘든 어떤 사람은 백만 원만 생겨도 세상 부러울 게 없다고 합니다. 또 어떤 이는 사업에 실패하여 빚에 쪼들리다가 극단적인 선택을 했는데, 그가 죽고 재산을 정리해보니 일억 원이나 남아 있었다고 합니다. 이처럼 어떤 사람은 백만 원만 있어도 세상 사람 부러울 게 없다 하고, 어떤 사람은 일억을 갖고도 그것이 부족해 나쁜 선택을 하기도 합니다.

그렇다면 이 세상에서 부자는 어떤 사람일까요? 가진 것이 많은 사람도 아니고 욕심이 많은 사람도 아닙니다. 욕심을 비우고 만족할 줄 아는 사람이 '진짜 부자'입니다. 반대로, 가난한 사람은 가진 것이 적은 사람이 아니라 스스로 늘 가난하다고 생각하는 사람입니다.

우리 마음속에는 부자와 가난의 씨앗이 있습니다. 가난하다는 생각, 부족하다는 생각, 결핍되었다는 생각과 불만을 지니고 있다면 지금 당장 비워보세요. 그 자리를 비우면 본래의 풍요로움이 그대로 드러날 것입니다.

삶 속에서 물 흐르듯 자연스럽게 일상을 받아들이고 지금에 만족하는 것, 이것이 변하지 않는 본래 마음을 찾고 진리를 깨닫기 위해 노력하는 수행자의 삶이라 하겠습니다. 수행자는 출가하여 산속에 머무는 스님들만이 아니라, 지금 내 마음을 비우고 진리를 찾아가는 사람을 말합니다.

물질은 영원하지 않아 매 순간 변하고 사라집니다. 변하지 않는 마음의 진리만이 영원히 우리 곁에 머문다는 사실을 깨달아야 합니다. 지금 당장, 부자가 되십시오. 진리를 따르는 마음의 부자가 되십시오!

나누고 싶은 마음밥상 ∞ 다래소금장아찌

다래소금장아찌를 만들려면 먼저 깨끗이 씻은 다래를 소금물에 보름 정도 삭힌 다음 다래만 건져서 물에 헹궈줍니다. 그러고 나서 다래를 삭힌 소금물에 설탕과 매실진액을 넣고 다시 다래를 담가 익힙니다.

다래가 절여지는 동안 꺼내어 맛을 보면 날마다 그 맛이 다릅니

다정한 마음이 채운 한 그릇

다. 집집마다 담근 장아찌의 맛이 다르고, 때때마다 맛본 장아찌의 식감이 다르듯이 말이죠.

마찬가지로 우리들 마음 또한 조건에 따라 매 순간 변화합니다. 그렇기에 내 마음이 이렇다고 할 고정된 마음이라는 것은 사실 없습니다. 하늘에 해가 나기도 하고 구름이 끼기도 하고 비가 내리기도 하지만, 해가 난다고 기뻐하고 비가 내린다고 슬퍼한다면 우린 하늘을 진정 제대로 만날 수 없을 것입니다.

외로운
사람들에게

오늘따라 아침 새소리가 차가운 공기를 뚫고 더욱 청아하게 다가옵니다. 산에 살면서 자연스레 산을 자주 보게 되고 그 숲에 사는 생명들을 더욱 사랑하게 되었습니다. 그리고 감사한 마음으로 그들과 함께 살고 있습니다.

산속에서 외롭지 않냐고 묻는 사람도 더러 있습니다. 사람이 많은 도시에 살아도 외로운 것은 마찬가지입니다. '군중 속의 고독'이라고 하듯이, 많은 사람들 속에 있어도 사람은 누구나 혼자입니다.

하지만 산속에서는 혼자 있어도 외롭지 않습니다. 숲이 있고, 새가 있고, 자연이 있기 때문입니다. 그 속에서는 혼자 있어도 혼자 있는 것이 아니고, 또 혼자 있어도 외롭지 않습

다정한 마음이 채운 한 그릇

니다. 함께 있으면 더불어 살아갈 수 있어서 좋고, 혼자 있으면 수행하기 좋습니다.

여러분도 자연 속에서 자신의 참마음을 발견하는 시간을 가져보세요.

새소리 청명하여 불영 도량 가득하고
높고 낮은 골짝마다 물안개 피어나네
청향헌에 홀로 앉아 매화 띄운 차 한잔
환희로운 마음 가득 온 도량을 물들였네

밤하늘 수놓은 수많은 별들이
오늘은 서로에게 정답게 말 건네네
겨울밤 깊을수록 정은 더욱 깊어가고
내 마음 어느새 그들과 하나라네

세계적인 연설가이자 저술가인 모리스 굿맨Morris Goodman
은 지금 가만히 앉아서 스스로 상처 주는 사람들에게 그들이 무엇을 할 수 있는지 이야기해준다면 "인간은 자신이 생각하는 대로 된다"고 말하겠다고 했습니다.

우리에게는 무한한 잠재력이 있습니다. 선택한 목표를

이룰 수 있는 잠재력은 자기 자신의 내면에 있기 때문에 진실로 자기 자신을 믿으면 무엇이든 가능합니다. 내가 먹는 약이 효과가 있다고 믿으면 그대로 그 효과가 나타나는 플라세보효과처럼, 우리가 원하는 것은 이미 각자 자기 안에 존재하고 있습니다.

외부 세상은 결과입니다. 생각이 결과로 나타난 무대입니다. 나의 생각과 주파수를 '행복'에 맞추어보세요. '나는 진실로 행복하다'라고 믿어야 진짜 행복이 찾아옵니다. 절대적인 사랑을 베푸는 것이 자신에게도 상대방에게도 큰 도움이 된다는 가르침을 알아야 합니다.

'자비무적慈悲無敵'이라는 말이 있습니다. '지극한 자비에는 그 어떠한 적도 없다'는 뜻입니다. 오늘도 깊은 사랑과 자비심으로 만나는 모든 이들에게 지극한 사랑을 베풀어보세요. 외롭지 않을 것입니다.

나누고 싶은 마음밥상 ∞ 나물삼색전

하루하루 살아내기가 만만치 않은 요즘입니다. 가만 돌이켜보면

다정한 마음이 채운 한 그릇

삶이 고달픈 것은 어제오늘의 일만은 아닐 것입니다. 과거 선조들의 삶도 그랬고 지금도 마찬가지입니다.

결국 삶이란 건 꿋꿋하게 오늘을 살아내는 것입니다. 소욕지족少欲知足, 욕심내지 않고 소박한 것에 만족하며 살아야 덜 힘들고 덜 고달픕니다. 지금 이 순간을 행복하게 사는 것이 중요합니다.

가지와 콩나물, 시래기를 주재료로 하는 나물삼색전을 한 그릇에 담아봅니다. 그 색감과 식감이 아주 잘 어울려 승가 공동체의 제일 덕목인 '화합'을 떠올리게 합니다.

옷깃만
스쳐도

우리의 삶 속에서 가장 힘든 일 가운데 하나가 사람들과의 관계가 아닌가 싶습니다. 가족이나 주변 사람들 간의 관계에서 생기는 크고 작은 갈등 때문에 받는 상처의 종류는 매우 다양합니다. 서로에게 힘이 되어야 할 부모 자식 사이도, 평생을 함께할 부부 사이도 나에게 무거운 존재로 다가올 때가 많습니다.

요즘은 좀 덜하지만 '아버지'라는 존재는 참으로 무겁게 느껴집니다. 많은 사람이 아버지에 대해 가지고 있는 인식에는 공통점이 있습니다. 술을 많이 마시거나, 술에 취해 집에 와서는 행패를 부리는 등 우리네 아버지들은 존경보다 원망의 대상인 경우가 많습니다. 아마도 그 시대를 살아온 아버

다정한 마음이 채운 한 그릇

지의 어깨가 그만큼 무거워서겠지요.

나이가 들면서 그런 아버지를 이해하고 용서하는 사람이 있는가 하면, 죽을 때까지 용서가 되지 않는다며 아예 단절한 채 살아가는 사람들도 있습니다. 아버지를 떠올리며 기쁨보다는 분노나 슬픔의 감정을 느끼는 사람도 많습니다. 하지만 애초에 인연이 없었다면 그 어떠한 관계도 만들어지지 않았을 것입니다.

옷깃만 스쳐도 오백 생의 인연이라는 말이 있습니다. 나라는 존재가 없다면 이러한 인연 관계는 존재하지 않았을 것입니다. 하지만 이미 나는 이렇게 존재하고, 내가 맺은 인연들 또한 지속적으로 이어지고 있습니다.

어떠한 인연이든 나로 인한 인연을 필연적으로 받아들이면 나쁜 인연 관계도 좋은 쪽으로 바뀝니다. 나와 인연 맺은 사람은 나를 떼어놓고 볼 수 없습니다. 결국 내 인생의 일부이기 때문입니다. 내가 행복해지려면 나와 인연 맺은 사람들과의 관계도 좋은 인연으로 가꾸어나가야 합니다.

요즘 젊은 사람들은 만나고 헤어지는 것을 너무 쉽게 반복합니다. 습관처럼 보이기도 합니다. 뭔가 얽매여서 끈적끈적하게 관계를 유지하라는 뜻이 아닙니다. 중요한 것은 우리의 마음입니다.

만나서 사귈 때는 서로에게 집중하지 못하고, 또 이러저러한 이유로 헤어질 때는 원수가 되어 서로 욕을 하고 집착을 합니다. 하지만 생각해보면 그 '나쁜 사람'과 만나서 인연 맺은 사람은 바로 '나'입니다.

"부모라면, 자식이라면, 남편이라면, 아내라면 어떠어떠해야 한다"는 잣대로 관계 맺음을 하면 우리의 앞날은 불행할 수밖에 없습니다. '웬수 같은 자식'이 되고, 부부가 '전생의 원수'처럼 지내게 됩니다.

자식이라면 나를 낳아주신 부모님께 조건 없이 감사한 마음을 내야 합니다. 부모라면 내가 낳았다고 내 마음대로 하려는 집착을 버려야 합니다. 각자의 삶을 인정하고 존중해야 합니다. 상대방을 '나쁜 놈', '웬수'라고 욕하고 부정하면 결국 내 인생도 부정하는 꼴이 됩니다. 그런 나쁜 놈과 사귄 사람도 '나'이고, 웬수 같은 자식을 낳은 사람도 '나'이기 때문입니다.

그렇다면 모든 인연의 끈을 내가 만들고 완성했는데, 이렇게 부정하게 된 원인은 어디에 있을까요? 바로 '나'에게 있습니다. 관계를 소중히 하고 감사하게 생각하면 내 인생의 의미가 커지고 보람이라는 긍정의 말이 더 크게 들릴 것입니다.

다정한 마음이 채운 한 그릇

나누고 싶은 마음밥상 ∞ 우엉조림

불영사 영지 주변에 장승처럼 서 있는 밤나무에 밤송이가 영글며 가을이 오는 소식을 전합니다. 천축산과 계곡으로 둘러싸여 주변 경치가 빼어난 명상길은 상서로운 기운이 감싸고 돕니다. 하안거 해제를 끝낸 선원 마당은 고요함 속의 텅 빈 울림을 이루며 비움과 채움의 진수를 느끼게 합니다.

가을이 오면 수확과 저장이 동시에 진행되기에 그 어느 때보다 농사짓는 손길이 분주합니다. 감자를 캐고 얼마 지나지 않아 고구마 덩굴들을 걷어내면 뿌리채소인 토란, 우엉과 연근, 돼지감자가 제 차례를 기다리고 있습니다.

그중 우엉은 밑반찬 조림으로 많이 쓰이고 차로도 널리 복용됩니다. 특히 우엉에 함유된 섬유소는 콜레스테롤 등 유해 물질을 몸 밖으로 배출시켜 피를 맑게 해주고 신진대사를 높여줍니다.

하늘이 알고
땅이 알거늘

겨울밤은 일찍 찾아오고 밤하늘의 별들은 더욱 시립니다. 코끝에 내려앉은 알싸한 바람의 기운은 별들의 소곤거림 같습니다. 그에 화답하느라 잠 못 이루는 몇 마리 새들이 어두운 저쪽 숲에서 푸드덕거립니다. 겨울밤이 깊어가고 있습니다.

> 밤하늘 수놓은 수많은 별이
> 오늘은 서로에게 정답게 말 건네네
> 겨울밤 깊을수록 정은 더욱 깊어가고
> 내 마음 어느새 그들과 하나라네

생각이 청정하고 마음이 맑고 진실한 사람은 가족 간에

다정한 마음이 채운 한 그릇

화목하고 이웃과도 상생합니다. 자기만 옳다고 주장하거나 자기 것이라고 움켜쥐려 하지 않습니다. 또 자신의 행동에 대해 책임지기 때문에 당당합니다.

한마음이 맑고 깨끗하면 오랫동안 향기를 남기고, 지금 한마음이 자비로우면 덕을 남깁니다. 맑은 향기는 모든 이들에게 스며들어 마음을 정화시키고, 덕이 있는 자비로움은 사람들을 고통에서 구제합니다. 이러한 마음은 다른 사람은 속일 수 있어도 자기 자신은 속일 수 없습니다.

중국 후한後漢시대에 양진楊震(50?~124)이라는 사람이 있었습니다. 어릴 때부터 학문을 닦아 학자로서 유명했고, 쉰 살 무렵에야 벼슬길에 올랐지만 나중에 한 나라의 재상과 맞먹는 삼공의 지위까지 오르게 됩니다.

어느 날 양진이 동래태수東萊太守로 부임하는 길에 창읍昌邑에 잠시 머무를 때 그 지방 현령을 맡고 있던 왕밀王密이 인사차 방문하였습니다. 과거 양진은 왕밀을 관직에 추천한 적이 있어 서로 알던 사이인지라 안부를 나누었습니다.

그러던 중 왕밀이 조용히 금 열 근을 꺼내 양진 앞에 놓으며 "저의 작은 성의입니다"라고 했습니다. 이에 양진은 사양하며 "당신은 나에 대해 잘 모르는 모양이오. 뇌물은 어이해서 가져온 것이오?"라고 물었습니다.

그러자 왕밀이 은근히 대답했습니다.

"깊은 밤이라 보는 사람이 없습니다."

이 말을 듣자마자 양진은 무섭게 꾸짖었습니다.

"무슨 말을 하는 게요? 하늘이 알고 땅이 알고, 당신이 알고 또한 내가 알고 있는데, 어찌 아무도 모른단 말이오."

이 말을 들은 왕밀은 부끄러운 마음에 서둘러 양진 앞에서 물러났습니다.

자신의 처신을 엄격하게 하여 도덕을 지켜낸 감동적인 이야기로, 중국 후한의 정사正史를 기록한 《후한서後漢書》에 나오는 내용입니다. 모든 사람을 다 속일 순 있어도 자신의 양심을 속일 수는 없다는 것입니다. 자신의 양심을 속이지 않고, 또 스스로에게 속임을 당하지 않을 때 삶은 당당하고 자유로울 수 있습니다. 그럴 때 삶의 향기는 더욱 진해집니다.

나누고 싶은 마음밥상 ∞ 팥죽

예부터 낮과 밤의 길이가 바뀌는 동지를 '작은 설'이라고 불렀습니다. 그리고 동짓날에는 한 해를 보내고 새해를 맞이하는 의미

다정한 마음이 채운 한 그릇

로 팥죽을 쑤어 먹었습니다.

팥은 《동의보감》에 따르면, '평㈜해 차지도 따뜻하지도 않고 맛이 달면서 시고 독이 없는 작물'로 기록되어 있고, 중국 당나라 의학 서적인 《약성본초》에는 '열독을 다스리고 악혈을 없애며 비와 위를 튼튼하게 해준다'고 나와 있습니다.

팥죽과 함께하는 동짓날, 공양간에서는 가마솥에 쉼 없이 팥죽을 끓입니다. 그리고 발원합니다. 새해에는 우리 승가 공동체가 원융화합하고 함께 정진하고 함께 나눌 수 있기를. 그리고 우리 이웃과 불자님들의 행복한 삶을 기원합니다.

365일 발원 없는 날은 단 하루도 없습니다. 그리하여 날마다 좋은 날이 완성됩니다.

자비 공양을
보시합시다

올해는 모든 일에 모자라지도, 가득 차지도, 넘치지도 않게 8부 정도만 채우고 살면 좋겠습니다. 8부라 함은 내가 행함에 있어 2부 정도를 남겨두어 남을 위해 베풀고 보시하자는 뜻이기도 합니다.

육바라밀 가운데 가장 우선시되는 것이 '보시바라밀'입니다. 음식을 먹을 때도, 생각을 할 때도, 일을 할 때도, 말을 할 때도 언제든 모자란 듯 8부를 유지하면 탐심이 없어지고 날마다 평온하여 몸과 마음이 건강해질 수 있습니다.

《불설십이두타경佛說十二頭陀經》에서는 이렇게 말합니다.

음식을 얻어먹을 때는 '굶주리는 중생을 보면 일분一分

을 덜어줌으로써 나 자신이 주는 이가 되고 그는 받는 이가 되게 하리라'라고 생각하라. 또 음식을 주고는 이렇게 서원하라. '일체중생으로 하여금 복을 일으키게 하여 그들을 구제하고 또 그들이 간탐慳貪에 떨어지지 않게 하리라.' 그리고 음식을 가지고 한적한 곳에 가서 그 한 덩이를 깨끗한 돌 위에 놓고 금수에게 줄 때도 앞에서와 같이 서원하라. 또 음식을 먹을 때는 '내 몸 안에는 팔만 마리의 벌레가 있다. 이들 모두 이 음식을 먹고 안온하라. 나는 지금 이 음식을 벌레들에게 주고 그 뒤에 도를 얻을 때는 항상 이들에게 법을 보시하리라'라고 생각하라. 이것이 중생을 버리지 않는 것이라 하느니라.

자비로운 마음을 내어 음식을 나누고 베풀라는 내용 속에는 내 몸에 살고 있는 온갖 균들에게까지도 보시하라는 뜻이 담겨 있습니다. 그들도 내 건강을 위해 자비를 베푸니까요. 우리 모두는 서로가 알게 모르게 주고받으며 나누는 윤회 속에서 상생하며 살고 있습니다. 이러한 진리를 부처님께서는 연기법을 통해 말씀하시고 계십니다.

음식을 나누는 것은 목숨을 구하는 것과 같은 큰 공덕입니다. 그저 음식을 나누는 데서 그치는 것이 아니라 받는 이가 굶주림에서 벗어나 마음이 편안해지고 얼굴이 밝아지며 힘을 내어 살아갈 수 있기 때문입니다. 또한 그들 역시 좋은 생각으로 남을 위해 베푸는 마음을 낼 것이라는 믿음으로 그들을 위해 서원하라고 하셨습니다.

이것이 바로 자비慈悲와 이타利他의 정신입니다. 공양 보시는 지금 우리 사회에 꼭 필요한 일입니다.《현우경賢愚經》에 나와 있는 바라문 비사리毗舍離가 아나함阿那含(욕계의 번뇌와 유혹을 완전히 끊은 경지)의 도를 얻고 기뻐하면서 중생을 위해 서원한 내용도 이와 같습니다. 어려운 환경에 처한 사람을 보살피고 함께 나누면 그들도 바른 생각, 좋은 마음으로 밝은 사회를 만들어가는 데 기여할 수 있다는 것을 알아야 합니다.

그동안 사찰 음식은 많은 시간과 노력을 기울인 결과, 영양적으로 우수하고 건강한 삶을 추구하는 현대인의 식생활에 모범답안처럼 자리를 잡았습니다. 이제부터는 몸에 좋은 음식에서 마음을 건강하게 만드는 자비 공양으로 한 단계 업그레이드할 때입니다. 사찰 음식이 추구하는 기본 정신인 '보시의 가르침'으로 말입니다.

다정한 마음이 채운 한 그릇

나누고 싶은 마음밥상 ∞ 귤탕

겨울에 가장 많이 먹는 과일 중 하나가 귤입니다. 깊은 산중의 고찰에서 긴 시간 수행하는 스님들은 냉병에 걸리기 십상입니다. 그래서 찬 음식보다는 더운 음식을 선호하십니다.

산사에서는 귤 역시 찜통에 넣고 쪄서 먹거나 상한 귤들을 한데 모아 껍질을 벗겨 냄비에 넣고 무르게 삶아 귤탕을 만들어 먹습니다. 따뜻하게 끓인 귤탕은 속을 데워주고 겨울철 감기 예방에도 좋은 음식입니다.

보시바라밀

숲속 새들이 눈 덮인 산사의 새벽을 깨웁니다. 지금 밖에는 봄비가 내립니다. 이 봄비로 산에 있는 눈들이 녹아내리고 나면 산과 들에는 봄의 생기生氣가 가득하겠지요. 새는 그렇게 봄을 깨우고, 봄은 다시 우리에게 생기를 보냅니다. 아무런 대가를 바라지 않고 우리 곁으로 다가옵니다.

　　수보리여! 보살이 상에 머물지 않고 보시하는 복덕 또한 이와 같아서 가히 생각하여 헤아릴 수 없다.
　　수보리여! 보살은 응당히 가르친 바와 같이 머물지니라.
　　須菩提 菩薩 無住相布施 福德 亦復如是 不可思量
　　須菩提 菩薩 但應如所敎住

　　　　　　　　　　　　다정한 마음이 채운 한 그릇

자비심으로 남에게 물질이나 정신을 베푸는 것을 보시布施라고 합니다. 보시는 불교의 실천 덕목 가운데 으뜸입니다. 탐욕과 집착에서 벗어나 도를 이루고자 함이며, 남을 돕는 아름다운 행을 길러줍니다.

보시에는 세 가지가 있습니다. 물건이나 재물을 보시하는 재보시財布施, 진리의 말씀을 담은 경전이나 책을 보시하는 법보시法布施, 상대방의 마음을 편안하게 해 두려움을 없애고 용기를 주는 무외시無畏施가 그것입니다.

남을 돕거나 보시를 할 때는 순수한 마음으로 해야 하며, 따로 바라는 마음이 없어야 합니다. 마치 어머니가 자식을 보살피듯이 '보시했다'는 생각조차 없이 베풀어야 진정한 보시입니다. 이것을 《금강경》에서는 '무주상보시無住相布施'라고 합니다.

대승불교의 핵심 수행법 가운데 하나가 바라밀波羅蜜 수행입니다. 바라밀은 바라밀다波羅蜜多의 준말로, 고통으로 가득한 이 세상에서 깨달음의 저 언덕으로 간다는 뜻의 산스크리트어 파라미타pāramitā를 음역한 것입니다. 해탈과 열반의 완전한 깨달음에 이르는 여섯 가지 바라밀 수행 가운데 그 첫 번째가 '보시바라밀'입니다.

우리는 흔히 '남을 돕는다'고 하면 내가 쓰고 남은 것이 있어야 도움을 줄 수 있다고 생각합니다. 또 부유하지 않으면 도움을 줄 수 없다고 생각합니다. 하지만 내가 쓰고 나서 남은 것이 있을 때 돕는다거나, 부유해져야 남을 도와줄 수 있다고 생각한다면 아마 평생 도움을 베풀 수 없을지도 모릅니다.

본래 '나'라고 할 만한 고정된 실체가 있는 것이 아니고 '내 것'이라고 할 수 있는 것도 없기 때문에 언제나 옳은 '내 생각'이라는 것 또한 있을 수 없습니다. 처음부터 이 세상 모든 것은 다만 존재할 뿐입니다. 본래 내 것이 없기 때문에 우리는 빌려 쓴 것을 갚는 마음으로 베풀어야 합니다. 우리가 빌린 돈을 갚을 때 '도와준다'가 아닌 '빌려주셔서 감사합니다'라는 마음을 갖는 것처럼 말이지요.

보시가 자비행의 실천으로 깨달음을 얻는 바라밀 수행이 되려면, 본래 내 것이라고 할 것이 없기 때문에 베풀 것 또한 없는 것이라고 자각해야 합니다. 이렇게 할 때 베풀었다는 생각 없이 베풀 수 있습니다. 이것이 '무주상보시'이고 '보시 바라밀'입니다.

나누고 싶은 마음밥상 ∞ 김치채소만두

김장김치가 맛있게 익어 신김치로 변해갈 무렵이면 특별식으로 종종 만두를 합니다. 재료를 준비하는 데 손이 많이 가므로 신도들과 함께 만두소를 준비하고 만두를 빚습니다.

김치가 주재료가 되고 여기에 잘 말린 무말랭이, 양배추, 숙주, 두부, 애호박, 시금치, 당근 등을 손질해서 곱게 다져 양념을 넣고 섞습니다. 고소하게 씹히는 맛을 더하려면 생땅콩을 다져서 넣기도 합니다.

넉넉하게 빚은 만두는 많은 대중과 윗마을 노인정까지도 훈훈한 정을 함께 나누기에 안성맞춤입니다.

다정한 마음이
채운
한 그릇

초판 1쇄 발행   2024년 5월 2일
초판 3쇄 발행   2024년 5월 15일

지은이   심전일운
발행인   원명
편집인   각운

대표   남배현
본부장   모지희
편집   손소전 김옥자
디자인   정면
경영지원   허선아

펴낸곳   조계종출판사
주소   서울시 종로구 삼봉로 81 두산위브파빌리온 1308호
전화   02-720-6107
전송   02-733-6708
이메일   jogyebooks@naver.com
등록   제2007-000078호(2007.04.27)
구입문의   불교전문서점 향전(www.jbbook.co.kr) 02-2031-2070

ⓒ 심전일운, 2024
ISBN 979-11-5580-219-9 03220

조계종
출판사 │ 지혜와 자비의 눈으로 세상을 바라봅니다.